마스다 미리

행복은 누구나 가질 수 있다

박정임 옮김

새의노래*

차례

마리골드, 일년초.
내 사랑 같아.

1. 가볍게 한잔

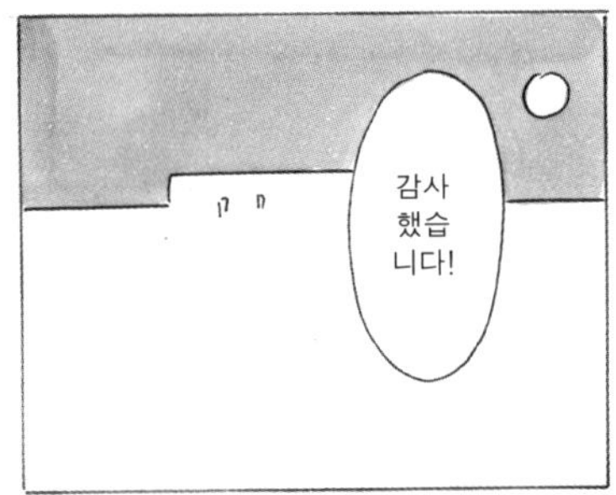

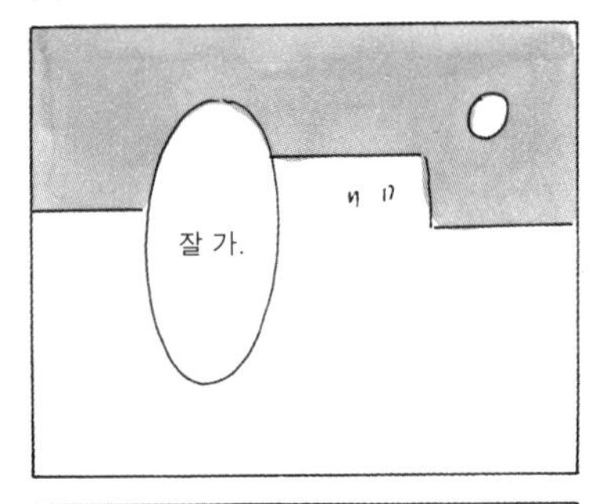

아니야
아니야.
자리를
옮겨서
가볍게
한잔한 후
그런 거
아니야.
말똥말똥한
정신으로
귀가 중인
아니
라고.
사와무라
히토미

집에
가자.

뭐지,
이 상황은?
마흔 살
입니다.

후우

다녀 왔습 니다!

피곤하다~

엄마, 아직 안 잤어?
어서 와라.

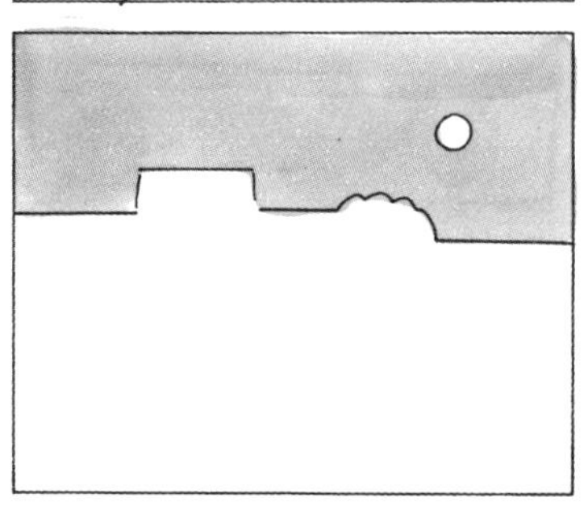

막 자려던 참이었어. 목욕물 데워서 쓰렴.

잘 자라~

좀 있으면 점심이다만~
아침 먹자~
흐음

일어 났어?

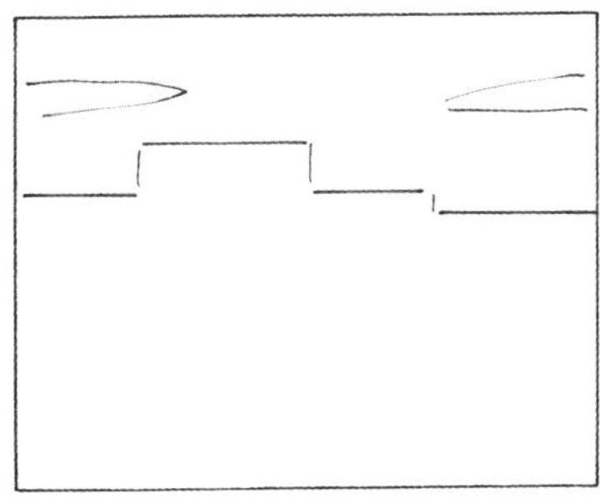

마리골드.
무슨 씨를 심는 거야?

벚꽃이 활짝 피었네.

아버지는 도서관?
응.
오~

미용실
이따 산책로에 벚꽃 구경하고 가야지.

토요일은 붐빈다고 일찍 나가셨어.

이십 대에 비해 칙칙해진 피부

미용실에 온
히토미 씨입니다.
오늘은
어떻게
해드릴까요?

눈도
작아진 거
같아~

죄송해요.
잠시만
기다려
주세요.

너무 많아서 묶기조차 힘들었던
머리숱도 지금은 그 정도는 아니고

미용실의 거울은 속일 수가 없네,

머리카락에는 예전에 없던 곱슬기가
생겼습니다.

하고 히토미 씨는
생각했습니다.
어딘가
늙어
보이
는데?

미용실
후후
가벼워
졌다~

잡지 보실래요?

가볍
다?

직원이 건넨 잡지도
요리책 계열로 바뀌었고
「AN・AN」
같은
패션지가
아닌…

어젯밤의 일

기모노나 고급 레스토랑, 보석이 실린
주부 대상 잡지를 건네줘도

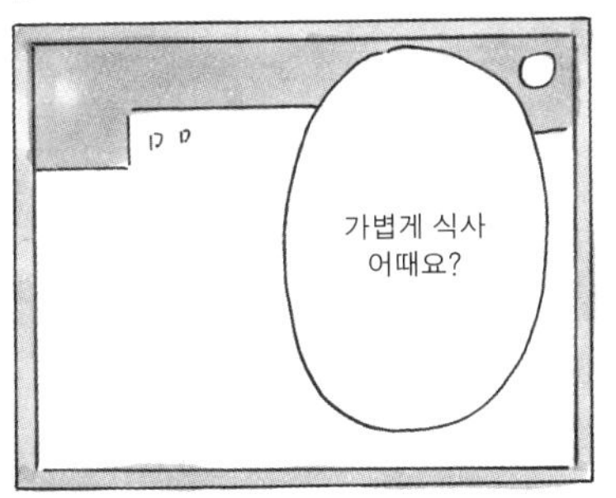
가볍게 식사
어때요?

남 이야기일 뿐인 40세.
이건 그냥
화집이네.
흠

맞다,
이 술집에는
초밥도 있지.
생선 괜찮아?

그럴까?
연수회가
생각보다
오래 걸렸지?

네, 지금요.
두 사람이요.
네, 네.
OK~
아,
네.

뭐 먹고
싶어?
이 주변에
뭐가
있을까~
그러면

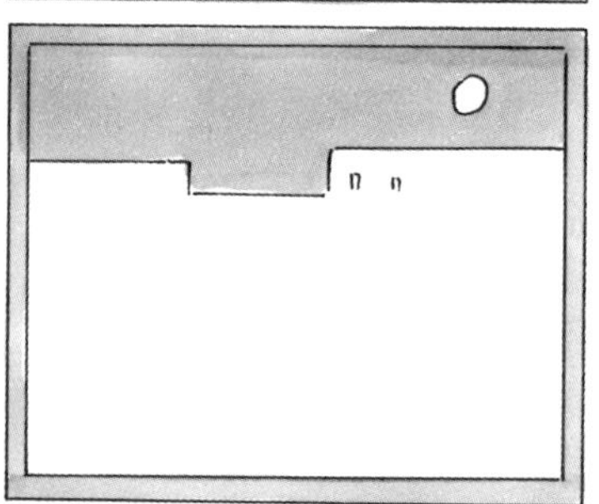

아
마카베 씨,
술 마시던가?

그래서 그날은
무지하게
걸었어요.
맞아! 파리는
지하철 타기가
어려워.

아, 하지만
안 마셔도 돼!
각자 편하게.
저기~

가볍게 한잔 더 할까요? 이번엔 제가 살게요.
저~
맛 괜찮았지?

내가 파리에 간 건 스무 살 때였으니까 벌써 이십 년 전이야.

아, 그럴까? 마카베 씨, 술 세구나. 괜찮아, 내가 살게.
저~

그러네요.
마카베 씨는 아직 초등학생이었겠네.

이 근처에 벨기에 맥주집이 있었는데.
어디 보자~

저요?
어떤 아이였어?

제가 괜찮은 바를 알아요.
저~
아니면 무알코올 맥주 같은 거로 할까?

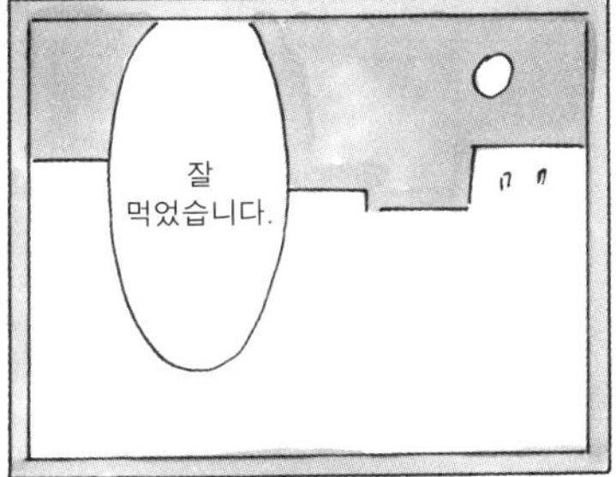
잘 먹었습니다.

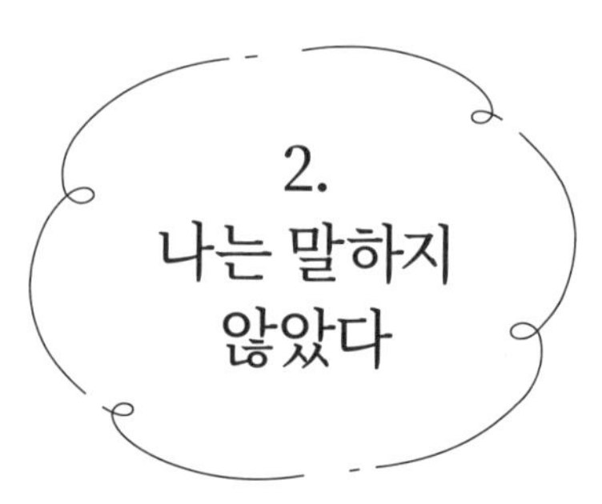

2. 나는 말하지 않았다

지난주 금요일의
술집과 바에
대해서는

그냥
즐거
웠다
정도로.
깊게 생각하지
않기로 한
히토미 씨입니다.

초등학교
벚꽃도
활짝
폈네~

히토미!
안녕?

안녕
하세요.

벚꽃이
활짝
폈네요.

여기 벚꽃이
제일 멋져.

꼬마였던 자신을
알고 있는
사람이 있다는

네 입학식 날이
생각난다, 얘~

그 사실을

너희 아버지가
사진 엄청 많이
찍었잖니.

나는 좀 더 소중하게
여겨야 한다고.

일 잘하고
와!
네,
다녀오겠
습니다.

아주머니,
기억해주셔서
고마워요.

히토미 씨는
생각했습니다.

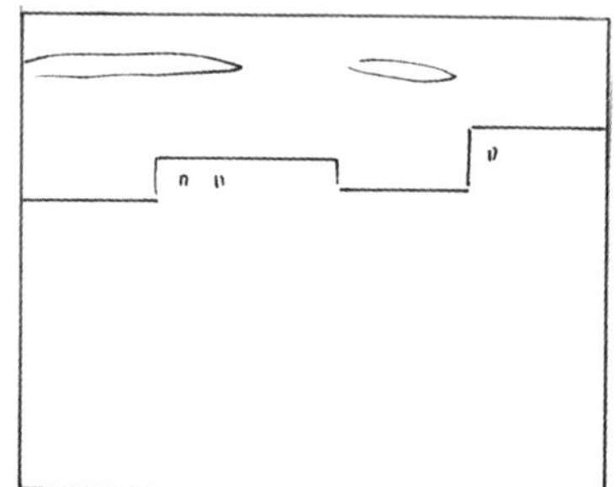

점심 먹으러 갈까?
응.

뭐 먹을까?
금요일에 점심 뭐 먹었어?

스벅 샌드위치.
그럼 밥 종류로 할까? 지라시즈시 어때?
음~

초밥

자, 식사 나왔어요.
오랜만에 오셨네?
와~
네

우물
그래서? 연수는 어땠어?

별거 없지. 몇 년 전에 받았을 때랑 달라진 게 없어.

아,
근데…

직장도 오래
다니다 보면
각이 나오잖아.
하하

우리 아버지가
자서전을 쓰기
시작하셨어.

맞아,
맞아.
그치. 어제 같은 오늘이
이어지다가 어느새 연말,
그런 느낌.
아하

오~
좋네.
좋기는 한데,
난 그런 건
읽고 싶지 않달까.

뭔가~
새로운 일은
일어나질 않지?

알지!
쑥스럽잖아.
맞아 맞아

진짜.

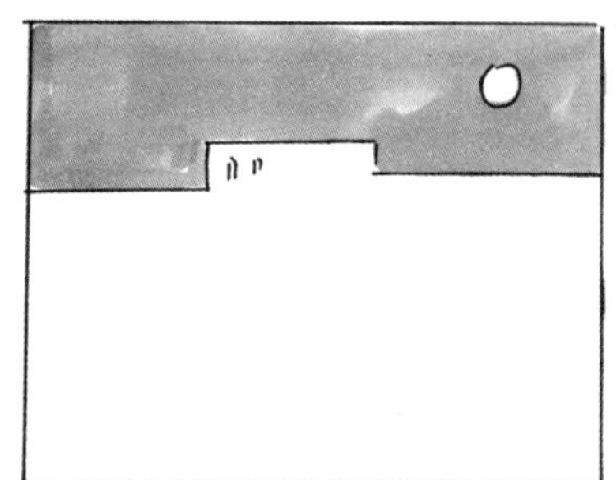

오늘 정신없이 바빴어~
달달한 거 좀 먹고 들어갈까.

사와무라 씨!
아, 퇴근하세요?

오늘은 엄마가 애들 봐주기로 해서 시간이 있는데. 차 한잔 할까?
아, 좋죠.

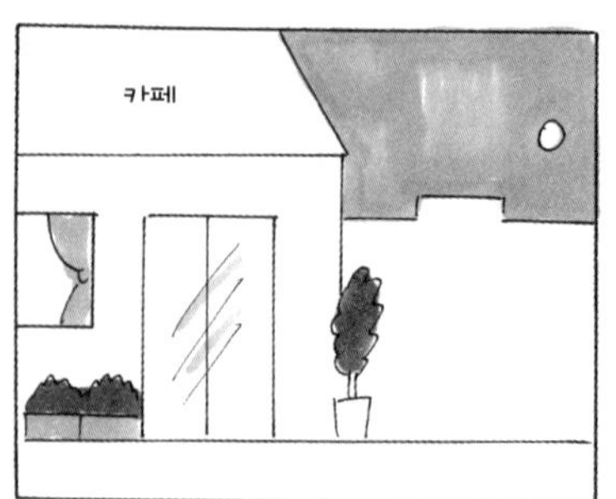
카페

봄은 들뜨기도 하지만 약간 애달픈 기분도 들어.
무슨 말인지 알아요.

벚꽃을 영원히 볼 수 있는 게 아니라는 생각이 드니까 인생이 짧다고 느껴지는 거야.

그래서 평균수명이 160년 정도면 좋겠다고 진심으로 생각했어.
160년을 어떻게 나눌 건데요?
하하

어머!
새로운 사랑도
많이 하는 거야.

30대가 100년!!
즐겁겠네요~
30대가 100년,
나머지는
적절하게~

여기저기
여행도 다니고
파타고니아 같은
먼 곳도 가고 싶어.
후후

그러면 난 30대의
첫 20년 동안
얼른 육아를 끝내고

그럴 거
같네요.
하지만 30대가
100년이라고 해도
마지막 1년은
역시 쓸쓸할 거 같아.

80년의
자유시간?
30대의 남은
80년은 원하는 대로
살 거야.

네.
그만
일어날까?

일도
열심히 하고

다녀
왔습
니다~

히토미
왔니?
네
여보,
차 들어요.

잘 먹겠
습니다.
어서
먹어.

자서전은?
많이 썼어요?
아니~
기억
안 나는
일이
많아서.

벚꽃이
활짝 폈더라.
초등학교 교정
예쁘지?

다 쓰면 어떻게
하실 건데요?
자비출판?
우물

응,
아침에
봤어.
이 주변에서는
거기가
제일 멋지더라.

아니다.
그렇게 거창하게
할 생각은 없어.

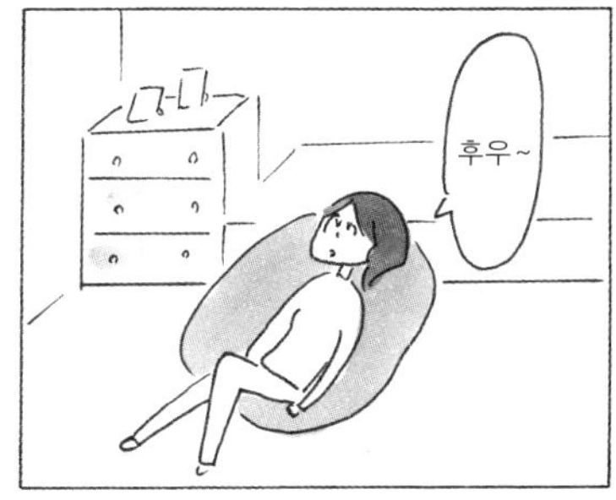

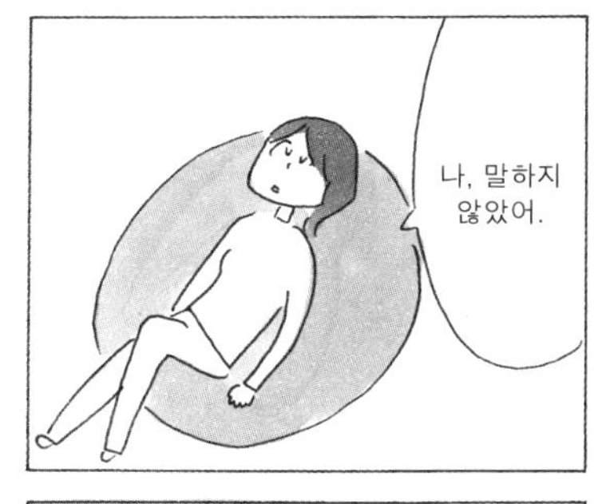

그게~
14살이나 어린 남자랑
둘이 있으니까
무슨 이야기를 해야 할지
모르겠더라고~

오늘
점심때

26살
이라고!
후배라고!
뭐니?
아니야,
아니야.
절대 아니야.

그런 식으로 장난처럼 얘기할
생각이었는데

나도 아니지만
그쪽도 아니겠지!

그랬는데

말하지
않았어.

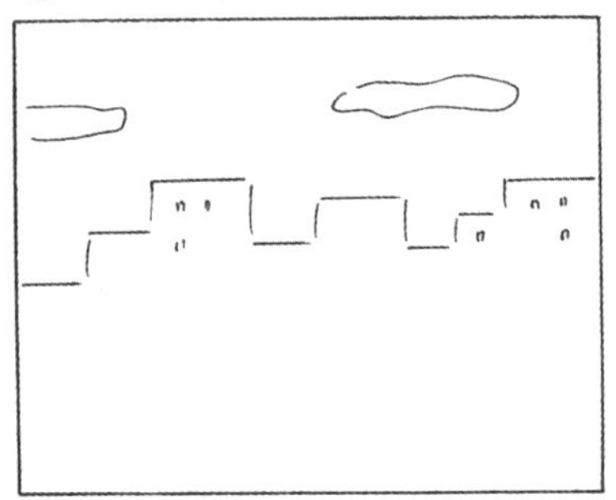

말하지 않는 쪽을 선택한 순간부터…

아기 낳으면 연락해.
업무는 걱정하지 말고!

저기,
사와무라 씨.

아,
야마다 씨.

빠르네.
얼마 전에
임신 소식
들었던 거
같은데.
후후

저, 내일부터
출산휴가
들어가요.
아~

야마다 씨의
뱃속에서
아기가
크는 동안

아직
추우니까
무리하지 마.
알았죠?

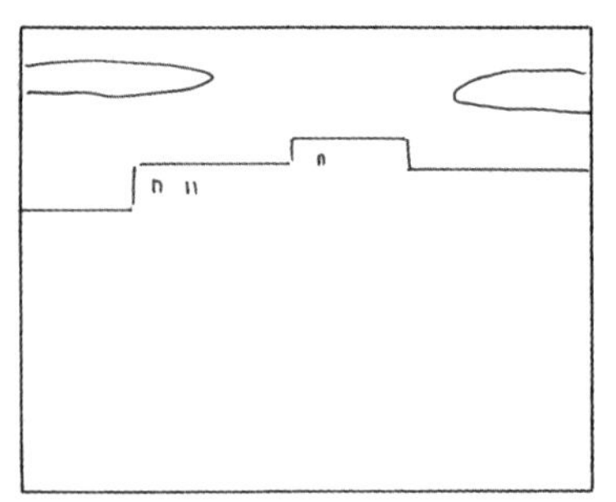

배고프네.
점심시간까지
앞으로 30분!

사와무라
씨!

아!
마카베 씨,
수고~
지금 회사
복귀한
거야?

후~
난 뭔가
유익한
일을 했나.

아~무것도
변한 게 없는 것
같아.

야마다 씨의
10개월과
나의 10개월

같은
무게일까.

저도
좋아합니다!!
찾아볼게요.

요전에는
즐거웠어~
네.

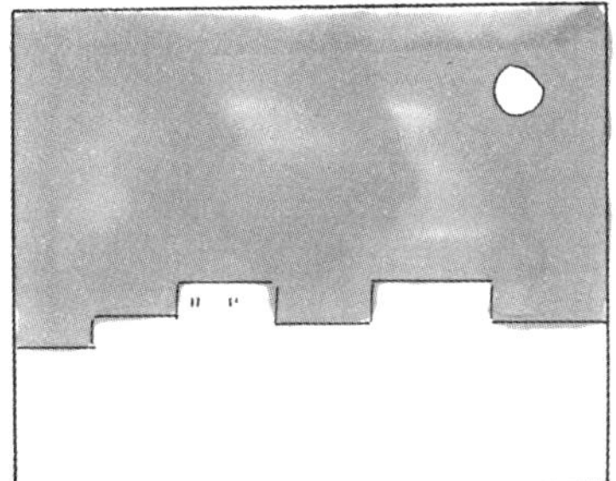

이번에는
제가
살게요.
무슨~
아니야,
괜찮아.

후우~
배불러.

사와무라 씨,
뭐
좋아하세요?

저 집
맛있네.
다른 데도
개척해
보자!

음~
글쎄~
만두?

하지만
제대로 해보고
싫어진 건
사실이야.

우리,
금요일인데
좀 더 놀다 가지
않을래?

그래서 인터넷으로
당구교실 같은 곳
찾아보기도 했는데.
오~

좋아!
뭐가
있지?
좀 색다른 거
해보고
싶지
않아?
좋지,
어디
갈까?

무슨
말인지
알아!!
이왕 할 거면
기초부터 제대로
배우고 싶어.

아, 좋아!
나 얼마 전에
부서 사람들이랑
갔었는데
재밌었어.
당구
쳐보고
싶은데~
좋네~

어중간하게
잘하는 사람한테
배우고 싶지
않은 거지?

그건 무리.
규칙도 잘 몰라.
그럼 가자!
당구 가르쳐줘.

피곤해.
후우

맞아 맞아.
틀린 자세까지
배워버릴 것
같고.
응~
응~

히토미 씨는

나, 방금
이런 생각이
들었어.

문득
생각
했습니다.

그럭저럭 잘하는
사람에게 '가르쳐주세요'라고
스스럼없이 부탁하는 여자가
인기가 있겠다는…
아마도~

금요일 밤,
가족들이
잠든
고요한 집.

네.

언젠가

달칵

아무도
없는 집에
귀가하는
날이 오겠지.

아빠,
왠지
작아지신 거
같아.

쏴아-

히토미,
지금 왔냐?

3.
예전에 좋아했던
사람

가족이 내는
화장실
물소리가

업무 중인
히토미 씨
입니다.
타닥
타닥

막연한 쓸쓸함을
달래주는

황금연휴도
끝났고…

일찍
자라.
그런
밤이었습니다.

백중맞이
연휴까지는
앞으로
3개월~
후우

네.

나도 조만간
여름옷 사러
가야지.
응

곧 반팔의 계절이
돌아오면

이제 그건
힘들겠지.
흠

히토미 씨,
'그거'라는 건
혹시

그렇다고 딱히
해외여행을
할 것도
아니지만.
타닥
타닥

이것 좀
부탁해~
응~

우와,
반팔?
청춘이네~

여름옷
샀는데
얼른 입고
싶어서!
그 맘
알지.

수고
하셨습니다~

지지난 주,
14살 연하인
마카베와
퇴근길에
만두를 먹고
제대로
만든
만두였어.

지난주에도
마카베와
다른 만둣집에
가서
철판구이
만두,
처음
먹어
봤어.

맛있었고
즐거웠으니
됐지만,

출근 전
세면대에서

소매 걷는 부분만
면도하는 것
말인가요?

타닥
타닥
타닥
타닥
이제 슬슬
욕조에서
제대로
밀어야지.

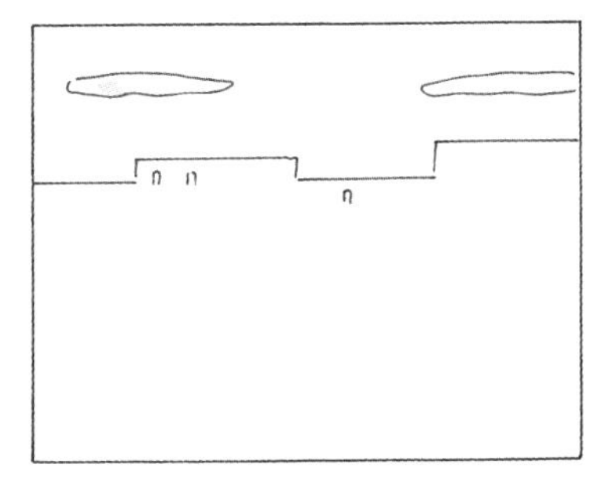

내 마음이
들떠있는
이유는

나도
그리고
마카베도

그 사실을
아무에게도
말하지
않는

뭐지
이거?
상황 때문
입니다.

어서
오세요~
드르륵
닭
꼬
치

어??

히토미
!
응??

어?
오카가
왜 여기에
있어?
놀랐어
?

오카,
나 보고
싶었구나~
뭐야~

요전에
우연히
만났어.
깜짝
놀랐어.

히토미, 뭔가 분위기가
달라졌는데.
예뻐!
그래?

우리 애랑
오카 딸이
같은 수영
교실에
다녔던
거야.

너~
좋은 사람
생겼어?
혹시~
맥주 나왔
습니다~

딸은
엄마랑 사는데,
가끔 내가
픽업하거든.
나,
돌싱
이야.
아~

대학
시절로
돌아
가서.
하하하
재회
기념으로
일단
건배
하자.

히토미
만난다니까
자기도 오고
싶다고 해서.
맥주
주세요!

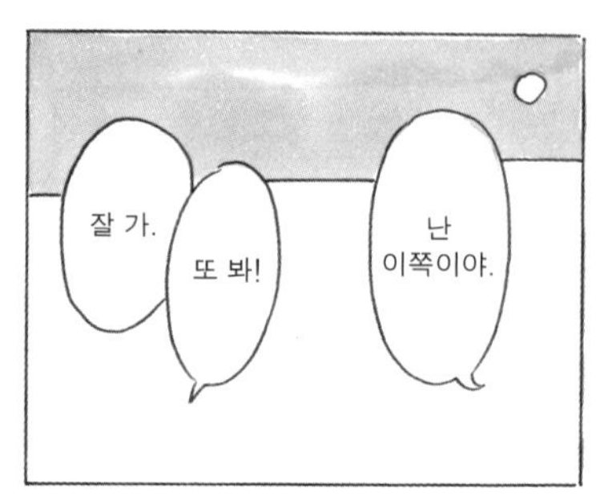
난 이쪽이야.
또 봐!
잘 가.

사와무라, 너 술이 이렇게 셌었나?

세질 때도 됐지. 마흔인데!
맞는 말이야. 일은 어때? 힘들진 않아?

그냥, 뭐. 다양한 사람들이 있으니까~

그래도 친한 동료도 있고 괜찮아. 넌?
난 일찌감치 독립해서.

난 2년 후면 근속 20년!
오오!
뭐 주나?

응, 촌스러운 탁상시계
하하하

그리고 일주일의 휴가.
와아
괜찮네?

사와무라,
역시
뭔가
변했어.

다음에
둘이서
밥 먹자.

응,
왠지
반할 거
같은데?
그래?

정말?
뭐 먹고
싶어?
좋아.

이미
반했는지도.
아니

이자카야로 가자.
메뉴도
다양하고
부담 없잖아.

하하하
으이구,
바람둥이~

좋아!

부스럭
여깄나?

아
아빠의 서랍.

엄마~ 줄자 어딨어?

이건
히토미 씨

방 분위기 좀 바꾸려고.
아빠 서랍에 있을걸?

뭘 발견한 걸까요?

중학생 때
어버이날에 드린
명함 지갑…

그때는
용돈 모아서
사드린 건데
이제 보니
싸구려네.

이렇게
헤질 때까지
쓰셨구나.

그런 아빠도
이제 명함 지갑이
필요 없어지셨다.

직함도
없어졌으니.

올해는
뭘 사드릴까.
하지만 여전히
나의 아빠라고
히토미 씨는
생각했습니다.

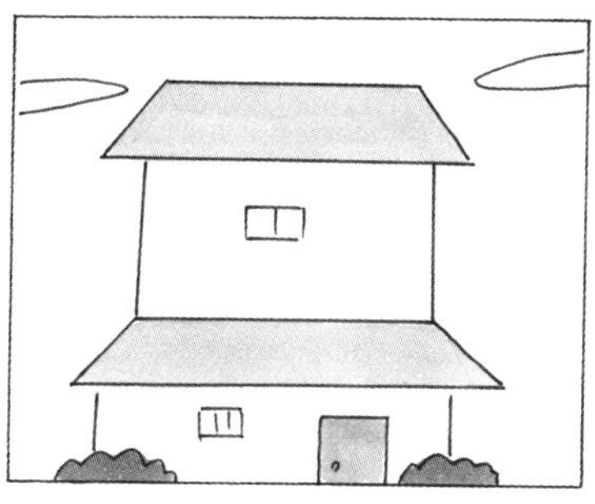

후우~
정리
끝났다!!

오카에게 온 메시지.
응?

아~ 이날은 선약이 있는데.
대학 시절, 좋아하고 또 좋아했던 짝사랑에게

18년 전의 나라면 날아오를 듯 기뻐했겠지.
데이트 (인 듯한) 신청.

기쁘지 않은 건 아니다.

최근 들어 충실하게 살고 있다~

그렇게 느끼는 히토미 씨.

역시 그건?

리즈 시절
인가?

대안을 내놓지 않는 여자라니,
'아, 선약이 있어.'라고 하고

하지만 지금의 나는

철벽녀 느낌이야.

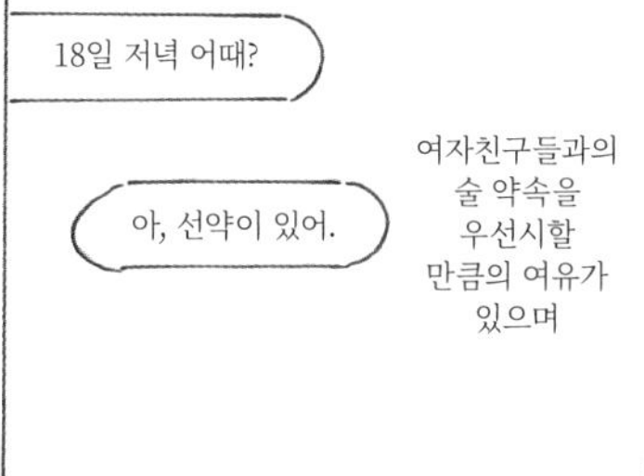
18일 저녁 어때?
아, 선약이 있어.
여자친구들과의 술 약속을 우선시할 만큼의 여유가 있으며

아, 오카에게
답장.

밀회?
가만
물론 그것은 14살 연하남과의

나, 지금 인기녀야.
엄청나게 많은 후보일이 왔어.

부정할 수 없어.
비밀 만남이 자신감으로 이어지고 있음을

빠르기로 치면
역시 마스다!

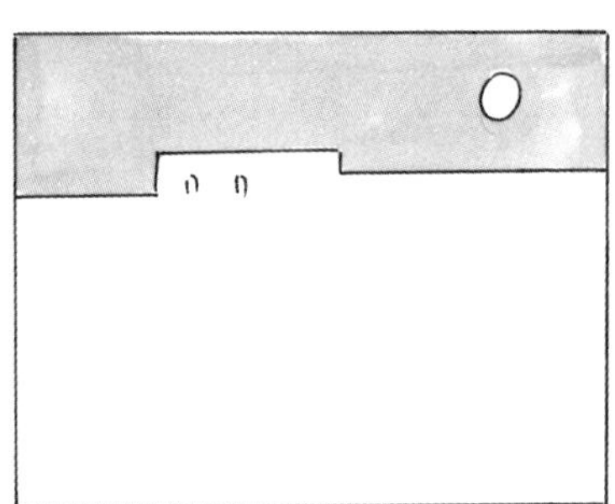

깜짝 놀랐다니까.
만난 지 3개월 만에
결혼이라니.
맞아
맞아.

동기 중에 한 번도
결혼 안 한 사람은
이제 우리뿐이야.
별로 신경은
안 쓰지만.

건배

어디 괜찮은
사람 없을까~
그 대사
좀 그만
읊어…

이야,
순식간에
6월이야.
너무 빨라서
무섭다니까.
이 엄청난 속도는
뭐냐?

그치만
왠지…

생각해보니
마스다도 계속
솔로 아니었어?

스톱!
그다음에 무슨 말이
나올지 알 것 같아.
나도.

그래도
그런 타입은
별로야.
나도
~

결혼한다고 하면
조금 괜찮아
보이지.

나쁜 사람은
아니지. 오히려
좋은 사람이라고
생각하는데

참 묘해.
응 응

뭔가 애인감은
아니지.
'동기'로
딱 좋은 남자.

4. 브람스를 좋아하세요...

이 수박
달더라.

낮에
아버지랑 먹었어.
오!
자~

잘 먹겠
습니다.
냠~
지금이 딱
제철이지.

정말
엄청 달다.
그지? 그런데도
니 아버지는
소금을 뿌려서
드시더라니까.

염분
과다 섭취야.
그니까~
아주 조금
뿌렸다.

뭐야, 아빠.
셔츠에 수박씨
붙었잖아요.

히토미 씨는
아빠가
음식 흘리는 걸
지저분하다고
느끼는

여기요
여기.
응

꼭 할아버지
같잖아…
자기 자신에게 짜증이
났는지도
모릅니다.

주루룩

아빠,
미안해.
우물

뭐야, 아빠.
질질 흘리고~

자,
닦아요.
응

데이트에는 돈이 드는구나~

음~

평일, 마카베와의 퇴근길 식사는 역시 '데이트'였고

원피스는 어떨까.
나이에 좀 안 맞나?

기대가 되지 않는다면 거짓말이다.

갖고 있는 핸드백이랑 안 어울리네. 새로 하나 사고 싶지만.

하지만 마카베 연령대에 맞는 옷을 고르고 있으면
음~

하~
이 블라우스 산 지도 얼마 안 됐고.

'그렇게까지 꾸며야 한다는 것이, 마치 자신의 약점처럼 느껴져서
지금의 자신을 부정하는 것 같아서
싫었다.'
열등감을 느낄 일도 아닌데.
씁쓸하기도 하고
라는 폴의 고백에, 마카베를 만나는 날이면
10대에 읽었던 <브람스를 좋아하세요...> 에서
질러!
에이, 샌들도 질러버려!!
동감하는 히토미 씨 였습니다.
주인공인 폴이 연하의 연인에게 젊게 보이려고 화장을 고치면서

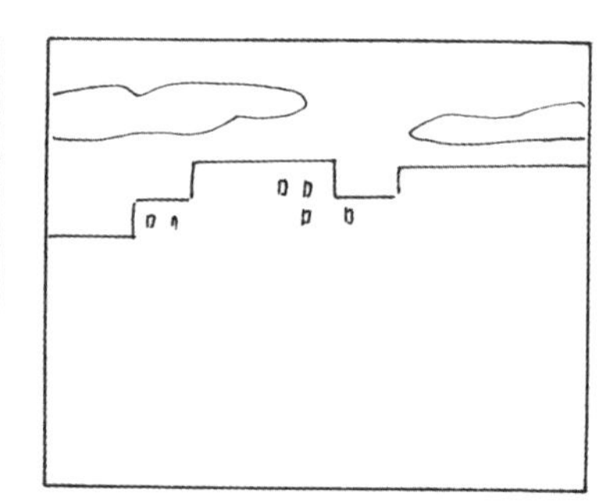

아,
부장님
이다.

아~
배고파.

'부장님!' 하고
부르려던
히토미 씨는

점심시간까지
아직 30분
남았어.
후우~

그 뒷모습이

이럴 때는
살짝
화장실.

아빠의 뒷모습도
부하직원의 눈에
이런 식으로
보였을까.

앞모습만큼
젊지 않다는
사실을 깨닫고

부장님!!
그런 생각을 하면서
히토미 씨는
씩씩하게
외쳤습니다.

조금
숙연해졌습니다.

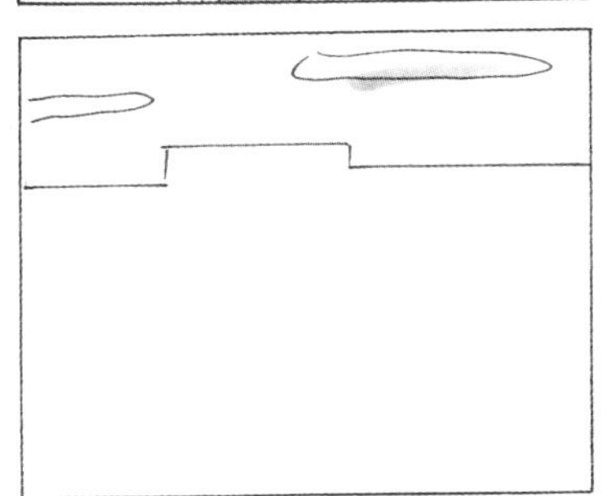

예전에
부장님이랑
같이 볼링 친
적도 있었는데…

수고하셨
습니다~

한 인간이
일해온 모습

예정이 변경돼서 오늘 왔어요.
그랬구나. 피곤하겠다.
아~

으~ 어깨가 욱신거려.
마사지 좀 받고 가야 겠어.

전혀요. 사와무라 씨는 바로 집에 가세요?
아, 응. 집에 좀 일이 있어서.

사와무라 씨!!

아~ 그러시 군요…
응! 그럼 갈게!

퇴근 하세요?
마카베, 수고 많았어~
아~

들어가~

근데?
출장, 당일치기 였나?

전혀
의식하지
않았을 때의
내게

마카베는
분명
반했겠지만

5.
거짓말

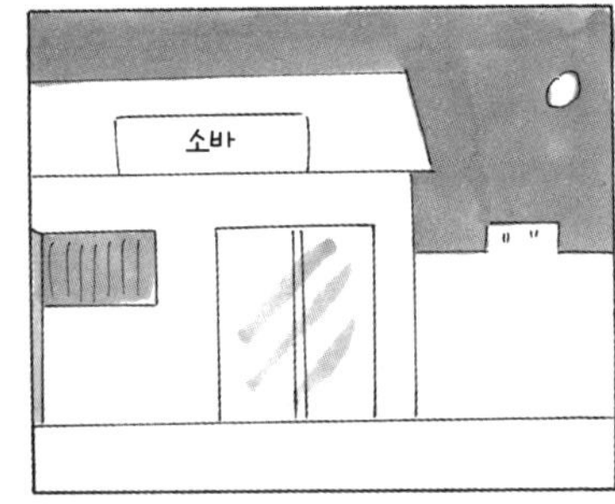
소바

소바집이 되게 고급스럽네.
그러게.
음악도 클래식이고.

한번 와보고 싶었던 곳이야.

네가 가자고 안 했으면 우리는 들어오기 힘들었을 거다.

뭐 드실래요?
난 자루소바로 하련다.

난 따뜻한 새우튀김 소바로 할까.
그럼 난 야채튀김 자루소바.

소바 나오기 전에 가볍게 뭐 좀 먹을까?

여기요,
주문할게요.
사실이,

이거, 가지와 유바를
얹은 매실 젤리
샐러드 어때?
그러자.

조금
외롭게 느껴지는
히토미 씨.

차조기와
까망베르치즈를
넣은 유바 튀김도
맛있겠는데?

고급스러워.
이런 곳도
가끔은
좋네.

그래라.
뭐가
뭔지 모르
겠으니
알아서
시키렴.

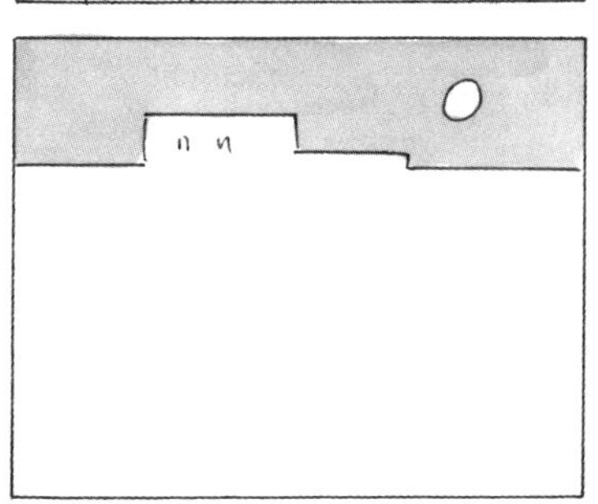

그럼
내가
주문할게.
어느새
가족의 외식을
담당하고
있다는

꽤 좋아.
후후
나는
이 '다녀오겠
습니다'가

오늘은
저녁 먹고
올 거야.

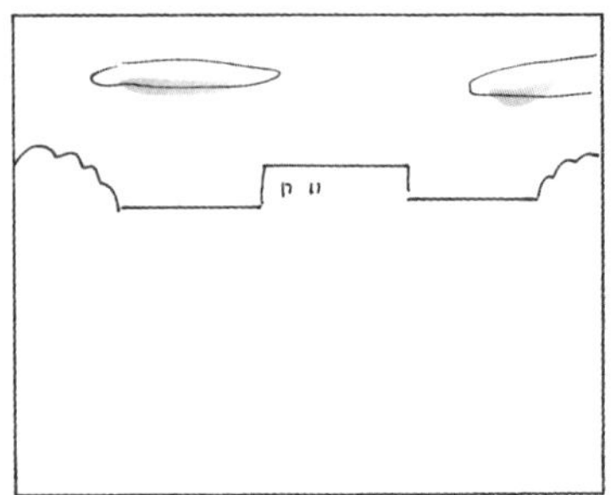

다녀
오겠
습니다!

일요일 오후,

집 현관
앞에서의
'다녀오겠
습니다'는

대학 시절에
좋아했던 사람과
영화를 보고

늘 뭔가
아이가 된
느낌인데,

하
하
하
저기요!
그런 아저씨 같은
소리 좀 하지 말래요?

그 설정은
작위적
이던데.
억지에
가깝지!
하하하
그리고,
저녁 식사.

히토미,
진짜로 너무
매력적인데?

건배!

예전엔 왜 히토미를
안 쫓아다녔지?

생굴,
너무 맛있다!!

내 주변에
남자들이
많았으니까?
그럴
지도!
하
하
하

여자가
생굴 먹는 거,
멋있어 보이네~

여유가
있다.

그때는
이런 식으로
말하지 못했었다.

그것도
엄청난
연하의.
그건
역시
연하의

아하하하
마음에 들고 싶어서
호감을 얻고 싶어서

대시라는
말을
요즘도
쓰나?
마카베가
저돌적으로
대시하고 있다는
자신감에서 온
여유.

응?
오카에게
무조건 배려하고
무조건 동의해주고

아하하하
지금의 나는

그건 좀
아니라고
생각해~
하지만
지금은

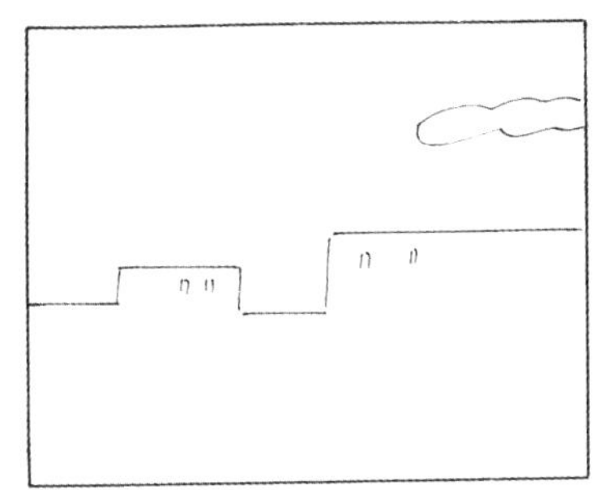

벌써 8월도 끝나간다니 믿을 수가 없어.
설날이 엊그제 같았는데.

8월이 끝나면 갑자기 연말이 보이는 것 같지 않아?
굴러떨어지듯 12월.

그런 식으로 40대도 지나가 버리는 걸까.

정말로~
언젠가 본성이 드러날지도

모릅니다.

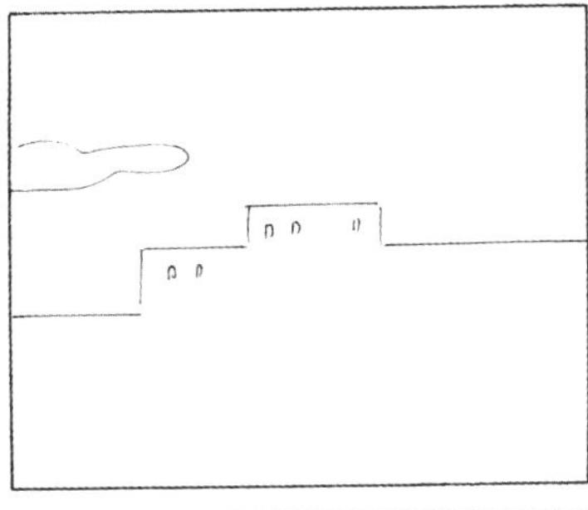

점심 먹으러 갈까?
그래.

맞아.
하는 식으로 변명만 늘어 놓으면서 살고 있는 걸지도.

맞아. 나도 그래.
그러고 보면 새로운 친구가 생기지 않는 것 같아.

아니!

휴일에도 그냥 집에서 뒹굴~
뭔가 점점 귀찮아.

변명이 아니고 해명.

맞아 맞아
좋지 않다는 건 알지만

그렇지.
누구에게 비난받을 까닭도 없고!

하하
그걸 아는 것만 해도 어디야.

아름다운
석양이네.

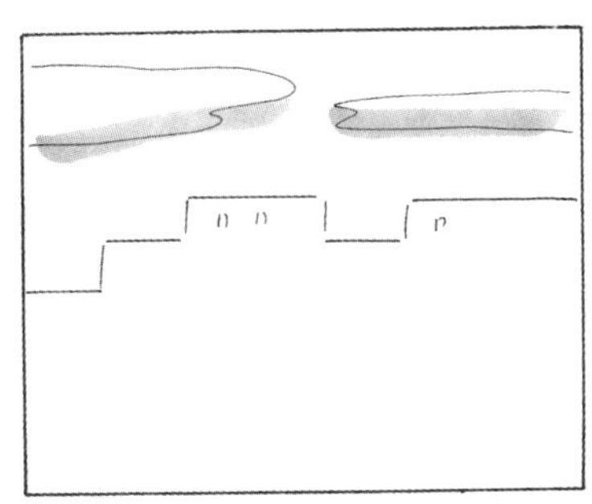

이렇게

후우~
하루 종일 컴퓨터만
봤더니 눈이
아파.

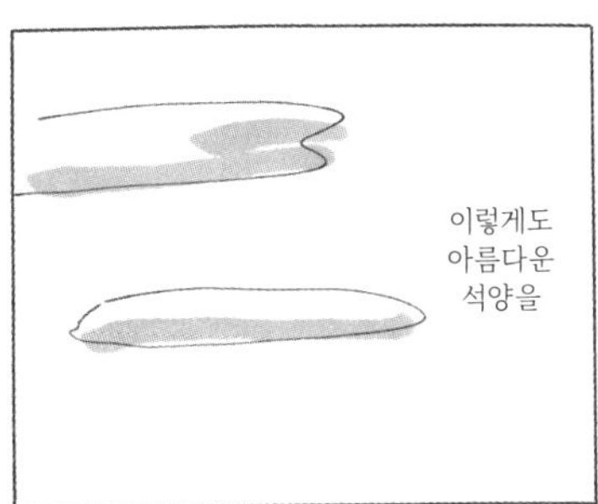
이렇게도
아름다운
석양을

후우~

우리는

앗

석양의
아름다움을
같이 나눌 수
있는 사람이
있다는 것도

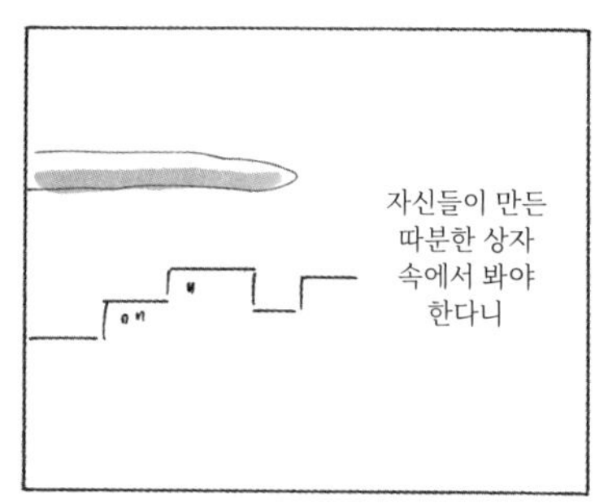
자신들이 만든
따분한 상자
속에서 봐야
한다니

자,
얼른
마무리하자.
인생의
즐거움 중
하나라고,
히토미 씨는
생각하기로
합니다.

흠
인생,
뭘까.

이탈리안 레스토랑

석양이
예쁘네요.

건배!

어?
아, 응.
진짜
~

후우,
오늘은 완전히
녹다운이야.
왜?
무슨 일
있었어?

오늘 업무 중에
문제가 있었어…

후배 직원이랑
둘이서 하는 작업인데
놓친 부분이
있었거든.

근데, 뭐,
이럴 때는 어쩔 수
없이 선배인
내 책임이잖아.

그래서?
부장이
뭐라고 했어?

엄청 깨졌지.
그랬구나~

'대체
이 일을
몇 년 했어!!'

'이렇게 단순한
실수를 하다니
자네답지 않아.'

부하직원을
야단치는 법,
같은 책.
메뉴판 좀
주세요!

'평상시의
꼼꼼한 일 처리는
어디 간 거야!'

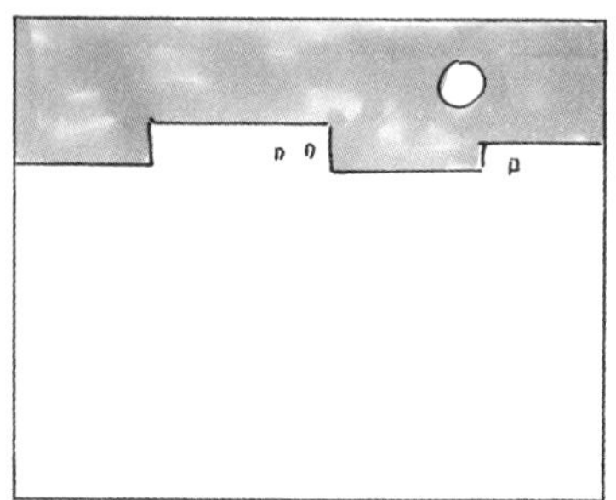

……
'센스 좋은 자네가
이런 실수를 하다니,
너무 느슨해진 거
아닌가!'

진짜!!
디저트까지
맛있던데.
맛있었어~

부장님
그렇게
엄청
깨졌다니까.

뭘?
앗,
깜박했다!

분명히
읽은 거야.
후우,
오늘은 정말
지친다.

밤 10시에
택시를 타고
연하남을
만나러 가는
나는

미안,
전화 좀
하고 갈게.
제사
문제로
사촌한테
연락해야
하는데!!
OK~

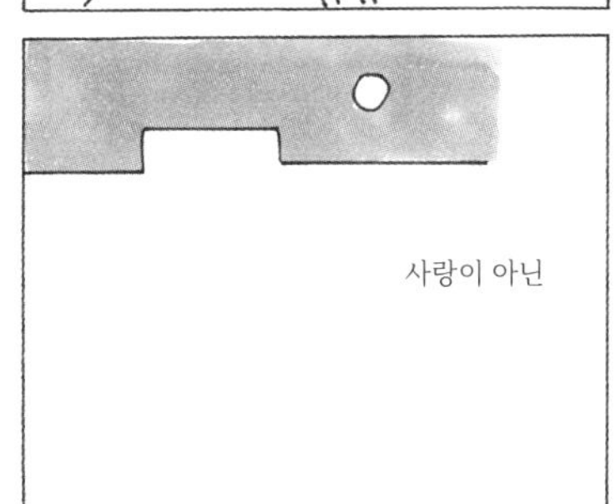
사랑이 아닌

잘 가~
잘 가~

자기
자신에게
취해있는지도

사랑은

모릅니다.

사람을
거짓말쟁이로
만든다.

6. 가속하는 사랑

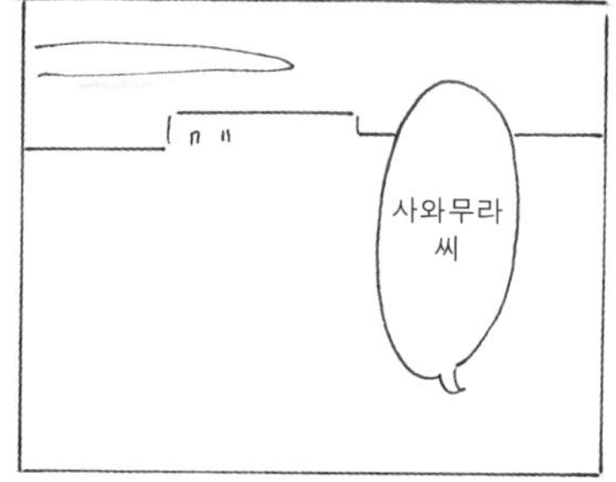
사와무라
씨

자료,
부탁해요.
네!!

손이 많이 가는
집계작업조차
타닥
타닥

어제 데이트를

고급스런
바였어.
반추하면서
하다 보면
즐겁기까지 하다.

택시 안에서
마침내 손을 잡은
마카베와의 관계는

일반도로에서

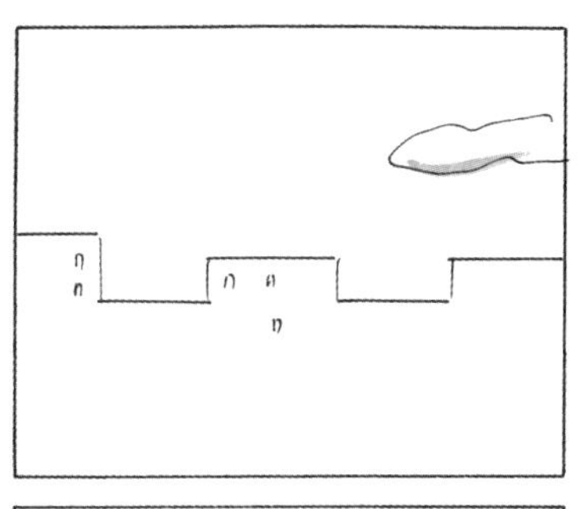

고속도로로
진입한 것처럼

학생들은
여름방학
이라고
수영장에
가겠네.
좋겠다~
오늘도
덥네~

역시 속도가
빨라질까.

그때는
누가 말 거는 게
귀찮았는데.
하
하
아~
헌팅 그립다.

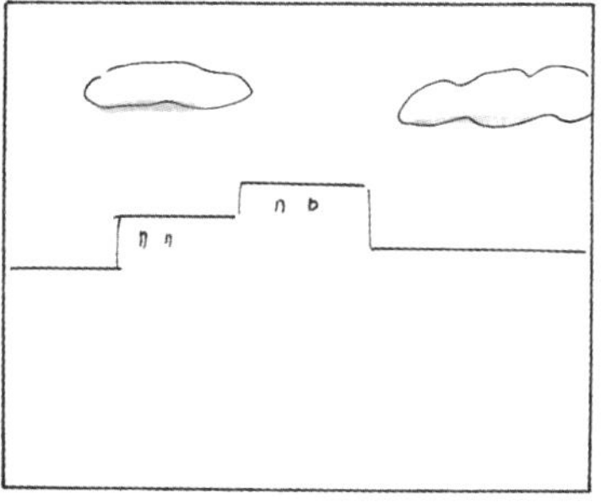

라고, 잠깐
잘난 척 좀
했습니다~
에헴

응.
점심
먹자.

우와~ 언제 적 얘기야!!
아~ 실연의 눈물 흘리고 싶어.

나 말이지~

나도 그 눈물 다시 한 번 흘리고 싶네~
하하

뭐?
실연당하고 싶어!

당연하지!!
눈물 전의 달콤한 시간이 제일 좋지만.

왜, 사랑은 실패로 끝나는 경우가 많잖아?

애들은 절대 모르지.
실연의 눈물이 그립다니

사랑을 한 다음 '사건이 있고' 그다음이 실연이니까.
그래서 사랑보다 실연이 더 깊이가 있는 거 같아.
하하

다녀왔습니다.

오늘, 택배로 옥수수가 왔더라. 오카라는 사람한테서.

어머, 진짜 보냈구나.
친구니?

대학 때 친구인데, 아오모리에 맛있는 옥수수가 있다는 얘길 했거든.

와~ 옥수수 예쁘다.
알갱이가 반짝반짝 하네.

남자 이름이길래 회사에서 보냈나 했다.

삶아서 통째로 하나 먹고 싶어.
그래, 맛있겠다~

그때도
그런
시원스러운 면도
좋아했지.

이제
그만 자라~
응

오카와

뭐라고
답장
할까.
'답례로
다음에
맛있는 거
사줘!'

마카베.

부모님이랑
사는 내게
집으로
직접 택배를
보내는

오랜만에
발전 가능성이
보이는 사랑이

그런 점이
오카의
오카스러움.

왜
동시에!

뭐냐고
이 상황은.

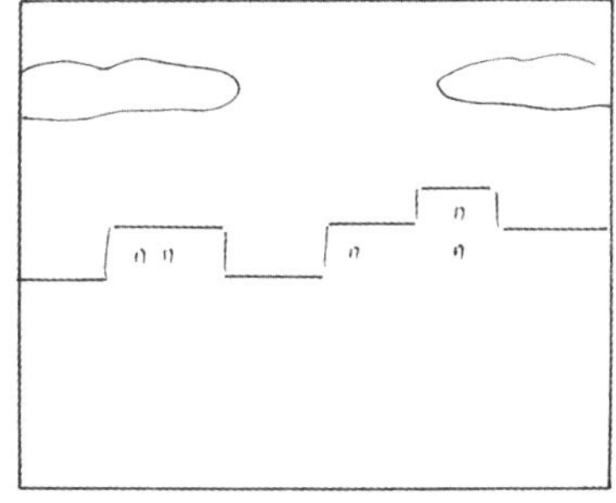

노리에 씨와
히토미 씨,
오늘은 백화점에서
쇼핑을 하는
모양입니다.

외출복이
좀 있으면
좋겠어~
어떤 거?

엄마,
여기 옷
어때?

이거 봐,
예쁘다.
예쁘네.

그 옷은
컬러가 선명해서
얼굴이 화사해
보여요.

아,
괜찮네.
그래?
젊은 점원의
눈치를 보는
엄마를 위해

어머,
그러
세요?
제가 아니고
엄마 옷 보는
거예요.

이것도
괜찮을 거
같은데?
히토미 씨는
열심히 배려해주고
있지만,

전혀 그렇지 않아요.
아주 잘 어울려요.
나한테는
너무
화려한가?

하지만,
아주 조금,
아주 조금은

엄마,
이쪽에도
많이 있어.

마음에
드는 옷을
마음대로
입으면 되는
거지!!
나이 들었을 때의
자신을 응원하는
것인지도
모르겠습니다.

괜히 미안해할
필요 없다니까!
편하게 이것저것
입어 봐.

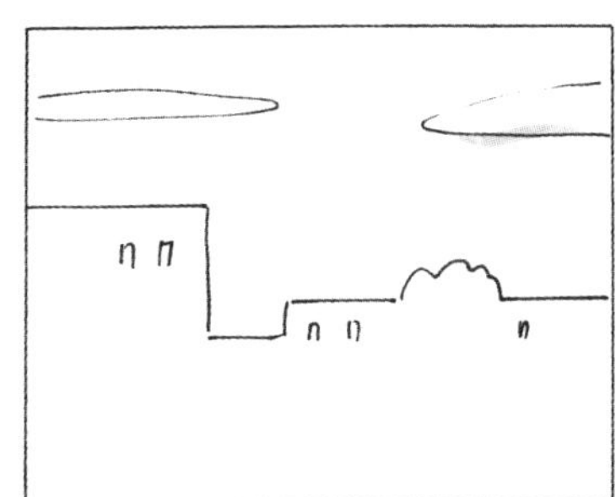

친구와
저녁 먹으러
간다는

빙수,
맛있었어!

말은
거짓말이
아니다.
오카는
아직
친구니까.

그렇게
많아 보여도
다 들어간단
말이지.

아직
이
구
나.

엄마,
난 그만
가볼게.
그래
그래
너무
늦지 마라.

지금,
사귀는 사람
있어?

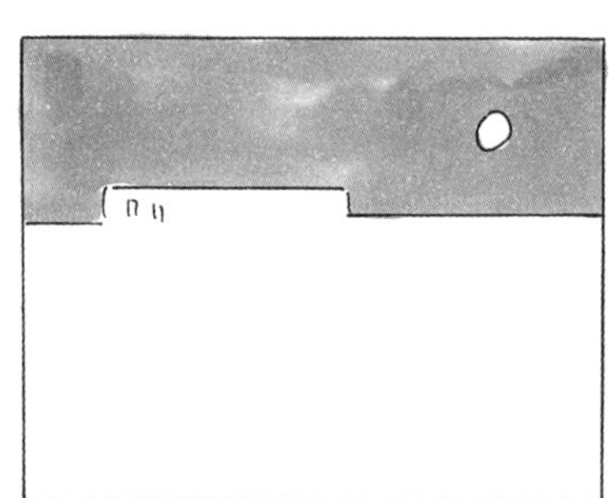

흐음,
글쎄~

사와무라,
너

하
하
하
그런 반응이
이미 인기 있다는
뜻이야.

인기 많지?

있지,
다음 달에
온천에
안 갈래?

아니,
많을 거야.
확실해.
글쎄~

다녀
왔습니다.

온천~

어?
너였니?

알았어.
회사 동기들이랑
마쓰모토 여행 계획
중이라서. 상황 좀 보고.

택시 소리가
나길래 옆집인가
했어.

그런 계획
없잖아~

빨리
끊기네.
버스가
벌써 끊겼어?

혹시 모르니 다이어트는 할까.
예전에 좋아했던 사람에게 온천여행 제안을 받은 사와무라 히토미, 40세입니다.

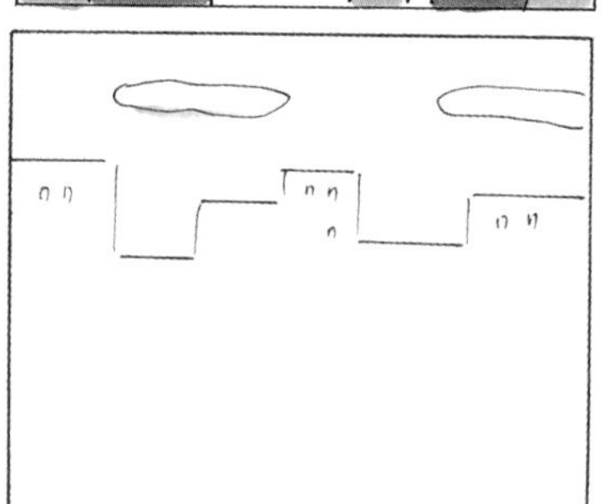

점심 먹자.
응.

피곤해서 목욕하고 잘래.
그래라~

데이트에서 돌아오는 길

택시로 배웅해주면

기분이 고조된다.

근데, 옷 사는 것도 재미 없어졌어.

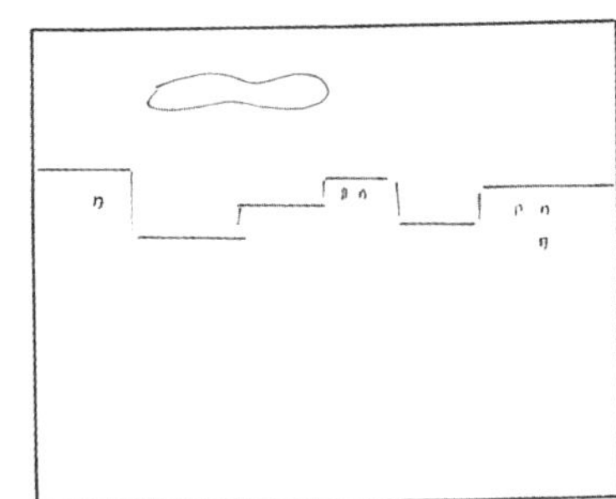

예전에는 분명 어울렸던 색상인데 지금은 그저 그렇고.

가을옷 샀어?
아직~ 슬슬 사야 될 텐데.

마네킹이 입고 있는 옷을 보면 저건 10년 전, 이건 5년 전

의류매장 옷이 순식간에 겨울옷으로 바뀌니까 가을옷을 살 틈이 없어.

하는 식으로, 어울렸던 때의 자신을 소환하게 돼.

그전에는 더워서 살 마음이 안 들고…
맞아~

맞아
맞아~
나도 알아!
곳곳에서
과거의
'내'가
보이지.

그러다가
그 곳곳에 있는
'내'가

뭐
라고?
어디선가
말을 걸어.

으~
됐다 그래.
'그 나이
나름의
아름다움이
있어.'
같은?

7. 흔들리는 마음

출근길의
만원 전철에
흔들리면서

마카베와
오카

조심
두 남자
사이에서도
흔들리고 있는

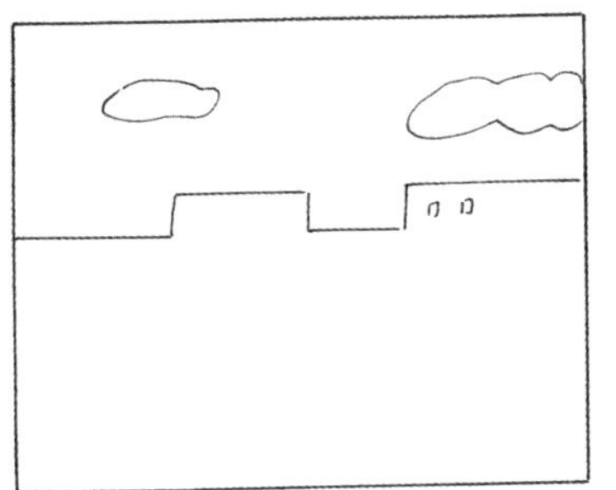

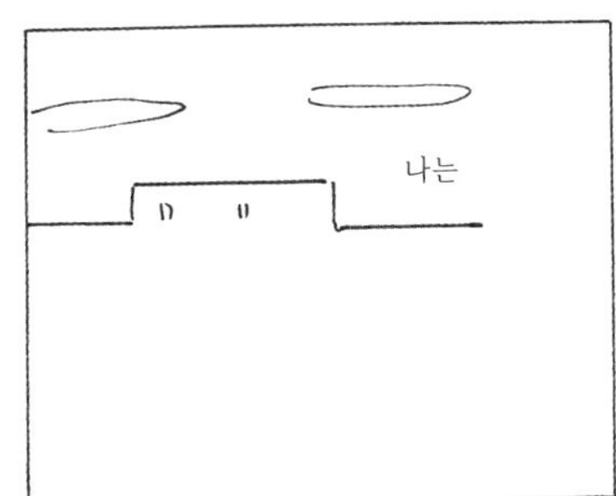
나는

미미하긴 하지만 가을이 느껴져.
정말~

어른~

봄이나 가을의 기운이 느껴지는 계절은

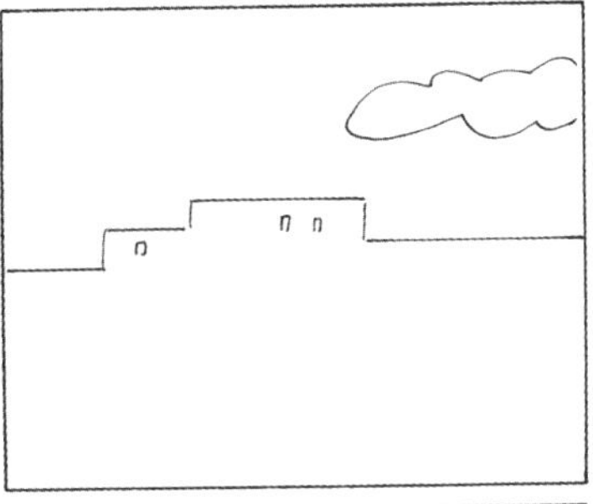

조금 쓸쓸하면서도 조금 기뻐.
뭔지 알아~

점심 먹자.
응.

자신의
일관성을
확인할 수
있달까.

뭔가 반가움이
느껴지지.

몸속
세포는
매일
바뀌지만

'이 느낌 알아'
같은.

죽을 때까지
세상에서
하나뿐인
나로소이다.
뭐래~

이 감정은

분발해서
장어 먹을까?
뭔가
장대한 기분이
들었어.
하하

안심,일지도
몰라.

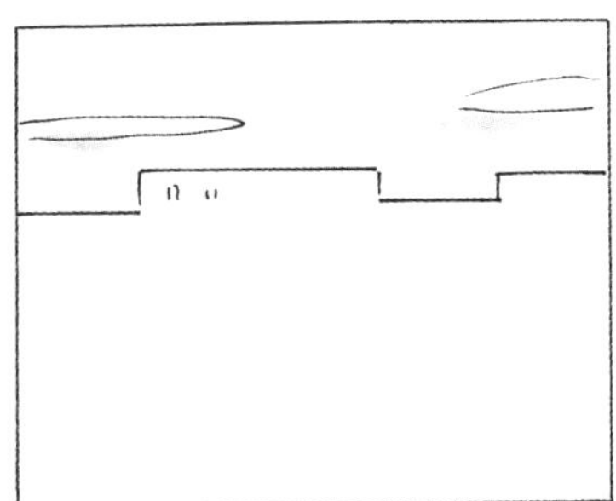

수고
하셨습니다.

마카베 씨도
수고~

오, 좋은데.
그 넥타이
어울려.

영업
다녀오겠
습니다.

10분 전에
메신저로
내일 아침
약속 잡아
놓고는
후후
회사용
얼굴.

화사하네~
영업부의
마카베 씨.
어?
아,
그렇지.

26세라고 했지?
우리 아들 같아.
에이~
거기까지는
아니지~

그럴까?
'희망이 없는' 어른이려나?

20대라~

맞아.
나이를 먹는다는 건 참 즐겁지 않은 일이야.

아직은 결정된 미래 같은 건 전혀 없겠지.

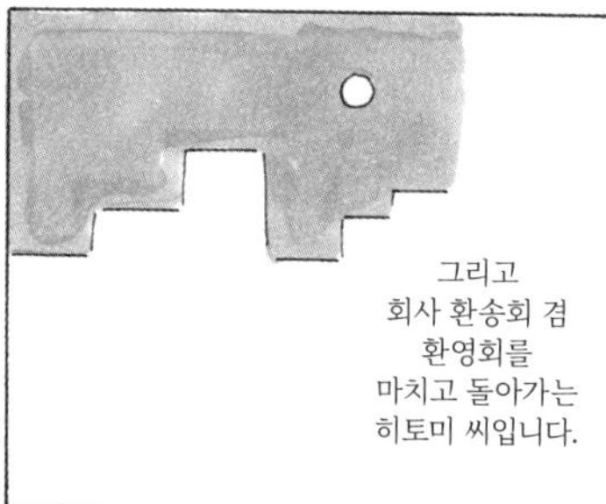
그리고 회사 환송회 겸 환영회를 마치고 돌아가는 히토미 씨입니다.

그러네.
아니, 미래를 정할 수 있다고 하는 게 맞겠다.

후우
아~ 너무 피곤하다~

마카베 같은 청년들이 보기에 우리는

보내고
맞이하고

입사 18년,
대체
몇 번을
반복해온
일인가.

음,
음음

음 음
2차
노래방에서
목이
쉬어버렸어.

옛날에는
18번이었던
노래도

고음이
올라가질 않아~

본인은
못 느끼지만
목소리도
늙었나.

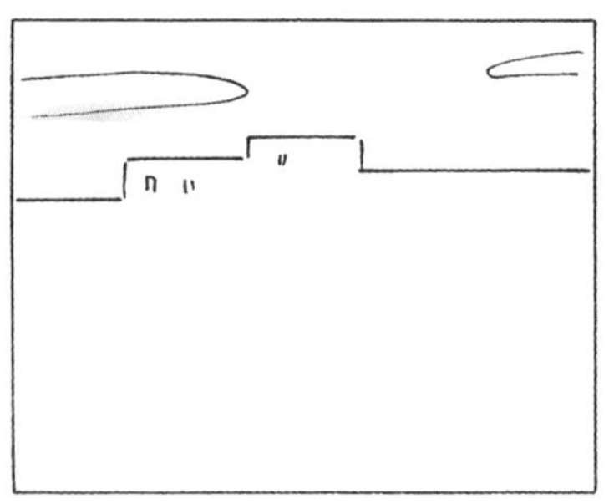

다녀왔습니다~

하~

어서 와라.
수고했다~

가슴이
두근거려.

히토미 씨는 생각했습니다.

오늘 밤
마카베와의
저녁 식사.

아직
안 잤어?
응
엄마에게
내 목소리는
영원히 '아이 목소리'
라는 것을.

내가?
엥? 뭐야,
뭐야, 뭐야.
골라도
되는 거야?

사랑이 아니면
느낄 수 없는

하~

이 고양감.

피곤하시죠.
어제 술도
꽤 마셔서~

마카베와 오카,
둘 중 누구를
만나도
두근거리기는
하지만

맞아! 아침에
일어났더니
목이 다
잠겼더라니까.
아하하

어느 쪽인가
하면…

어렸을 때의 이야기,
첫 해외여행 이야기

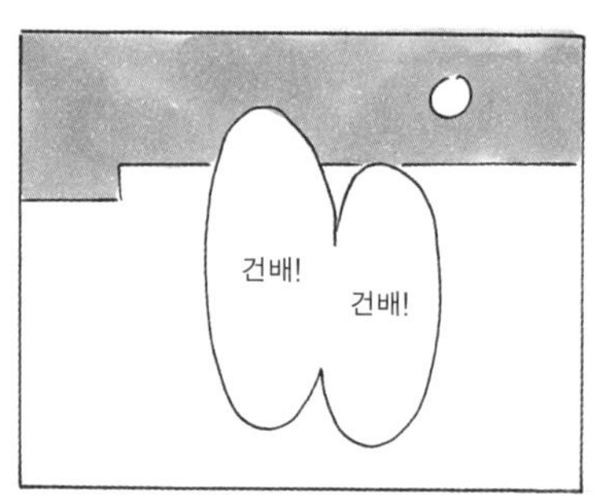
건배!
건배!

듣고 싶은 이야기,
하고 싶은 이야기가
넘쳐난다.
그랬구나~

여기 좋다.
와본 적 있어?
없어요.
인터넷 검색.

그러다가
불현듯

오~
어떤
키워드로
검색
했는데?
회사 사람들과
마주치지 않도록
늘 영역권 밖의

마카베 →
고등학생,
나 → 30세.
마카베의
10년 전과
자신의 10년 전을
비교해버리는
것이다.

'디저트
맛있는 곳'도
넣었구나.
아하하
좋네
멀리 있는
레스토랑을
개척해간다.

아, 그게, 저도 부모님이랑 살아서 호텔이 되겠지만.

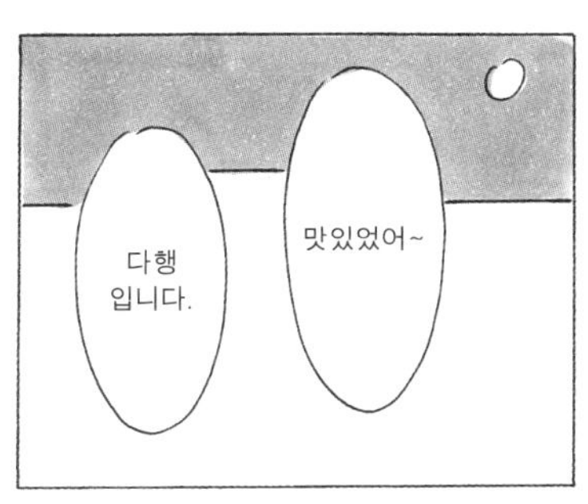
맛있었어~
다행 입니다.

응.

다음엔 내가 쏠게.
괜찮습니다.

'오늘 친구 집에서 여자들끼리 모이거든. 자고 갈지도 몰라.'

오늘

라고, 혹시나 해서 엄마에게 말하고 집을 나온 히토미 씨였습니다.

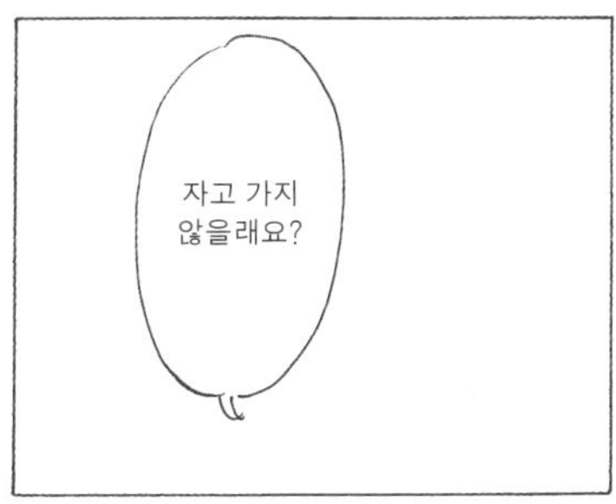
자고 가지 않을래요?

8.
애인이 있는
가을

다녀오겠
습니다.

응?

왜?
뭐 놓고
갔니?

좀 쌀쌀해서
걸칠 거.

뭘
입을까~

옷을 고르던
히토미 씨는

후후

문득 어렸을 때를
떠올렸습니다.

계절의 변화를
엄마가 알려주던
그때

히토미
~

그리고
어른이 되어버린
지금.

자~
오늘
아침은
쌀쌀
하니까

잘 다녀와.
다녀오겠
습니다.
그래

이젠
이거
입자.
네

마카베와
본격적으로
사귄 지 두 달이
지났다.

아쿠아리움에
가고

호텔
미라코스타
에서
숙박♡
도쿄
디즈니 씨에도
가고

온천 여행도
계획 중인
히토미 씨입니다.
히힛~

가을
이구나.

아니지,

애인이 있는
가을
이구나~

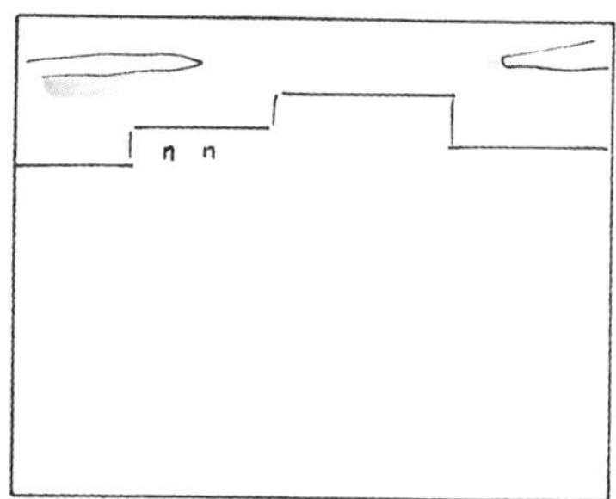

화장실 좀.
정말 잘 결정한 걸까

온천—

하고 이따금 생각하게 되는 이유는…

있지, 다음 달에 온천에 안 갈래?

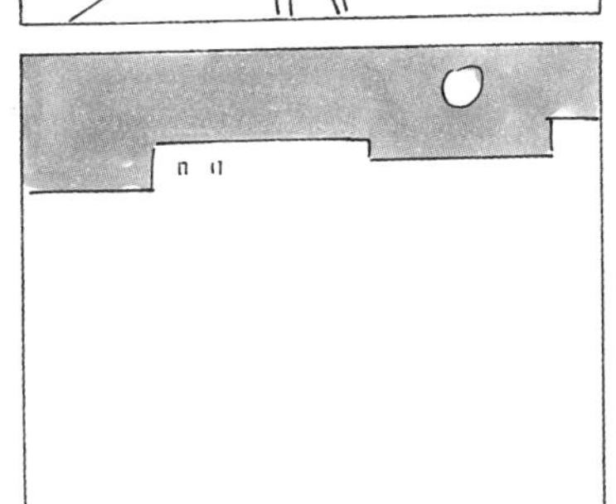

오카와의 온천 여행은 물론 거절했고

오래 기다렸지?

결국 아무 일 없이 끝났지만

재방문
하는
가게가
늘었네.
전부
맛있었어~

으음~ 맛있는
중국요리
냄새.
맥주
마시고
있었어.

나 있지,
독립
하려고 해.

나도 맥주로 할래.
저번에 탕수육
맛있었어.
맞아,
맞아.

그래?
전부터
혼자
살아보고
싶기도
했고

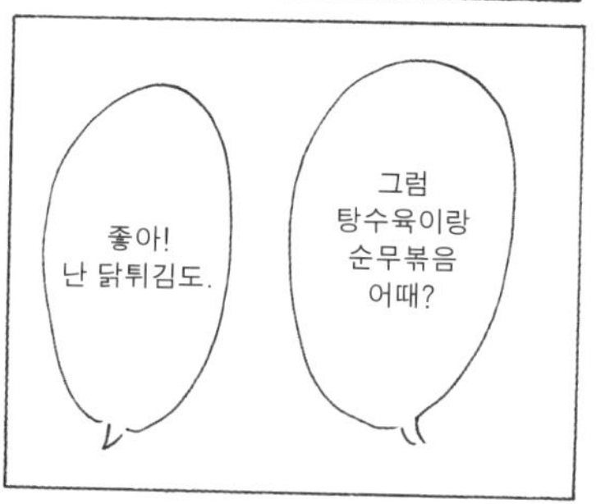
그럼
탕수육이랑
순무볶음
어때?
좋아!
난 닭튀김도.

히토미 씨도
놀러 올 수
있잖아.

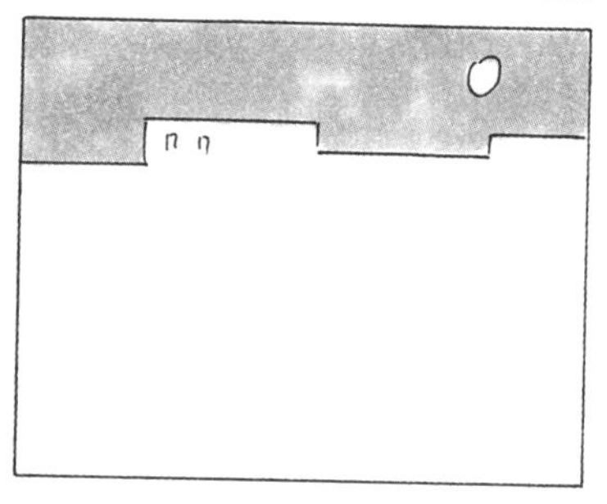

다녀왔습
니다~

괜찮으면

목욕했더니
개운해~
후아~

같이
살지
않을래?

'같이
살지
않을래?'

어…

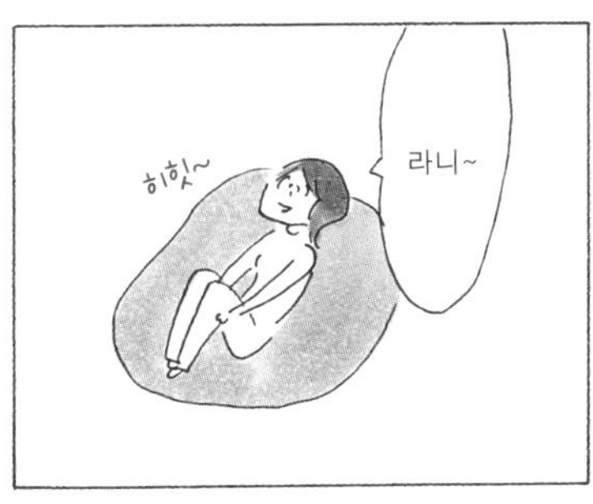
히힛~
라니~

그래,
꼭 와~
일단
놀러는
갈게.

다녀오겠
습니다!

으~
바람이
차가워졌어.
하지만
쨍하니
기분
좋아.

사와무라
씨, 좋은
아침!
아,
좋은 아침
입니다.

하지만~

이제 좀
바꿔
볼까.

연말
이네~
그러
게요.

해가 바뀌면
또 한 살이
늘어.
그렇죠.

하지만
하나도
안 변했어요!!
비결이
뭐예요?

에이,
무슨 소리야~
비결 같은 게
어딨어.
에이,
거짓말~

아, 그래도
요가는 꾸준히
하고 있어.
요가~
역시!!

사와무라
씨는? 뭔가
미용에
투자하는 거
있어?

전혀요!!
이미 여기저기
신호가 오고
있지만요.
하하

가르마를 바꿔서
허한 머리숱을
감춘다는 말은
역시 못 하겠어.

그러고 보니~
하지만 '연애'도 미용에 좋답니다.

어제~
네
뜬소문입니다만~

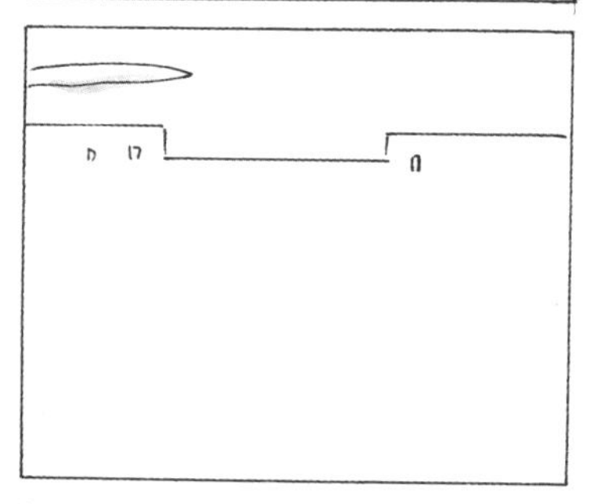

아 배고파~
점심시간까지 앞으로 15분.

아,
수고~
오,
수고~

연말에 동기모임하자.
간다~
좋지~

입사동기인 이치카와.

지금의
나를

20대였을 때,
딱 두 번 둘이서
밥 먹으러 갔었다.

어떤 눈으로
보고 있을까?

아마도,
나를 좋아했던 사람.

'나랑 만났으면
좋았을 텐데'
?

연애 감정이
들지 않아
자연스럽게
멀어졌지.

'쓸쓸한 인생'
?

그랬던 이치카와도
지금은 두 아이의
아버지.

*일본 장난감 회사에서 1967년에 발매한 인형으로 실존 인물처럼 디테일한 설정이 특징. 본명은 카야마 리카이며 일본인 엄마와 프랑스인 아빠 사이의 혼혈이라는 설정이다.

**〈천재 바가본〉. 1967년「소년 매거진」에 첫 연재된 아카쓰카 후지오의 개그 만화.

바가본의
아빠와 동급생…

바가본의 아빠는
꽤 짱짱하잖아.
펄펄
날아
다니
는데
뭐.

차남인 하지메도
아직 갓난아기고.
그렇지.

밥벌이도 하고
집도 있고
친구도
많고
좋은
사람
이잖아.

우리 뭔가
후회할 짓
하고 있나?

그렇다고
해도
왠지

되돌리고
싶은
마음은
없어~
이래저래
귀찮아.

지금 가장 되돌리고
싶은 건, 바로 주문이야.
저기에 붙어있는
'생굴'을 주문하지
않았다고.
헉,
깜빡했어!!
당장
주문
하자.

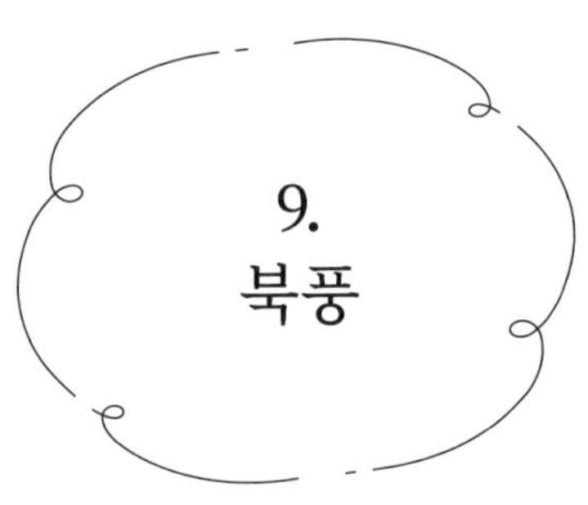
9.
북풍

어떤 집이 마음에 들어?
음~

처음 본 집도 괜찮았는데.

아~ 베란다가 넓었지!
맞아. 의자도 놓겠던데.

거기서 밤에 맥주 마시면 좋을 것 같지?
응 응

하지만~ 다음 집은~
마카베 씨의 집 구하기에 하루 동참했던 히토미 씨.

조금 기운이 없는 이유는 감기 기운 탓도 있지만

분명 부동산 중개인의 그 말 때문.

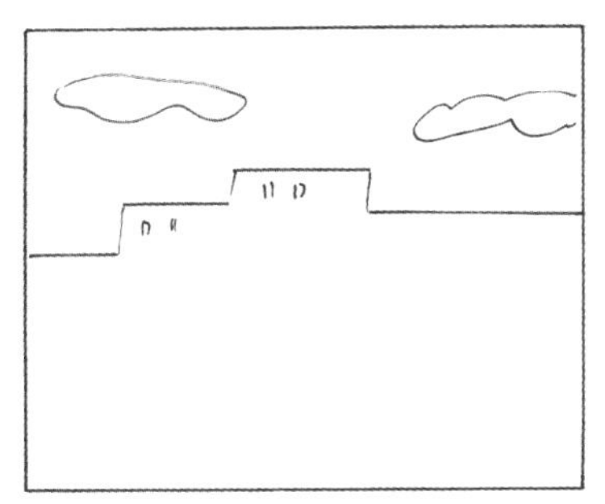

어머니는
아니시죠?
누님이신
가요?
저~

후우

이 집은
전철역이 가깝고
누나라고
하기에도
부자연
스러운가~

안색이
안 좋네.
괜찮아?
응.

그렇겠지…

열이 좀 있어서
반차 냈어…

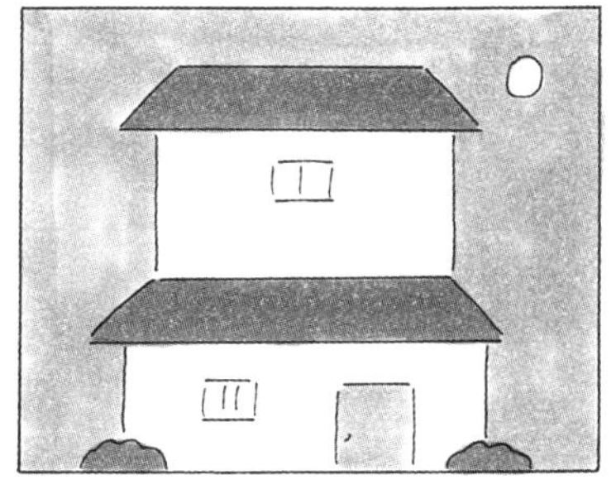

그래서인지
히토미 씨는
초등학생 때
열이 나서

조퇴했던 날을
떠올렸습니다.

그때는
엄마가 데리러
와주셨죠.

그런
일이
있었지.
그렇죠,
히토미 씨?

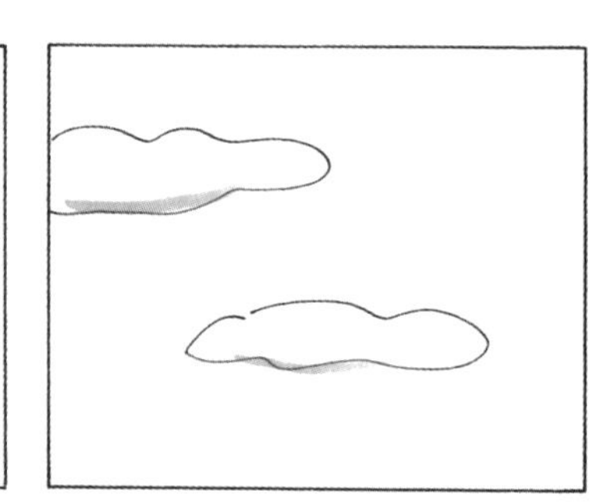

후우
오늘
무리하지 말고
쉴 걸 그랬어.

하지만,
뭔가,

후후
평일 낮에
거리를 걷고 있는 자신이
조금 신기합니다.

히토미.

부동산
중개인

열은
얼마나
올랐
니?
다 큰
어른인데
뭐하러
나와서
기다리고
있어?

보다

그때 마카베가
'아니요,
아니요.' 하며
웃었던 것이

하아
오한이
엄청나네.
열이 더
오르겠어.

자기 나이를
자기가
부정하는 건,
피곤한
일이야.

흐음
역시 맘에
걸려.

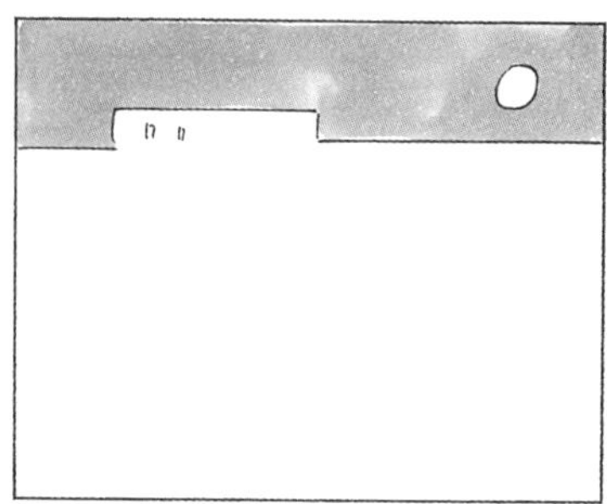

'애인입니다'라고
말해주길
바라서가
아니라

마카베와
사귄다는 건
앞으로 이런 일에
익숙해져야
한다는
뜻이고

자는 것도
지겹다.
감기로
회사를
쉬고 있는
히토미 씨
입니다.

지레 앞서서
상처받고
있는 나.

*일본의 시사 주간지로 1959년 4월에 창간했다.

만약 아빠나 엄마가
나중에 거동이
불편해지시면

응,
고마워.
내일은
출근할 수
있어.

하루 종일
이 마당을
바라보시겠지, 하고

근데
마카베,
집은
정했어?

다녀왔다.
왜, 더 자지
않고.

뭐?

?
엄마, 마당에
겨울에도 꽃이 피는
나무를 심자.

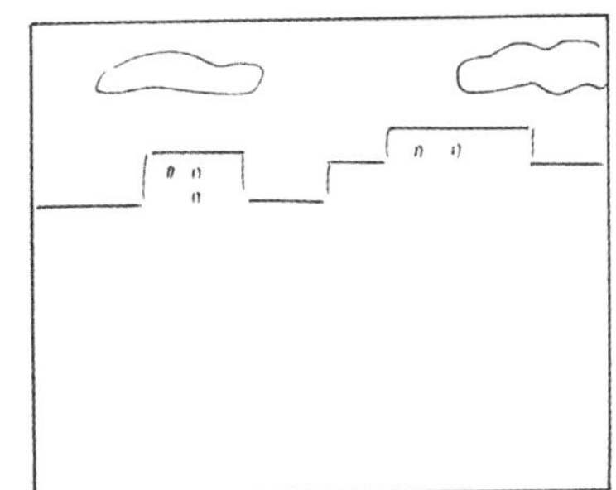

점심
먹을까?
응.

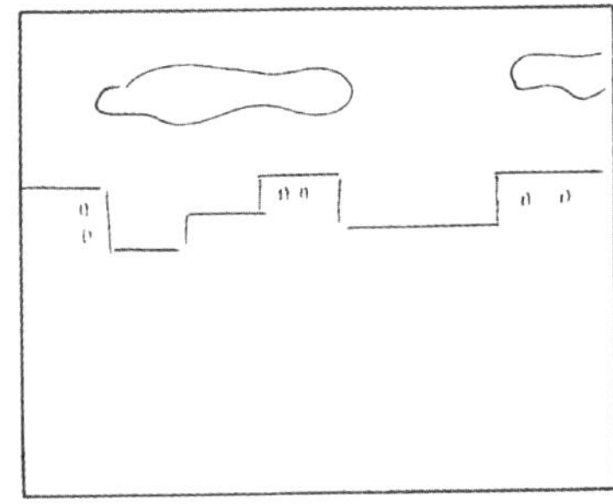

우와~
오늘도
춥네~
그니까.
밑에서
한기가
올라와.

뭔가,

이런 식으로
춥다, 덥다 하다가
인생이 끝나는 건
아닐까.

의외로
인생은
짧을지도.
그럴지도.

왜, 고령의
유명한 배우가
죽거나 하잖아?
응.

살아
있다는
증거…
그렇게
생각하면
이 추위도

그때마다
우리 부모님
풀이 죽는 게
보여.

후후
불어
가면서
말이지!!
휘익
맞는
말이지만,
일단 뜨거운
소바 먼저
먹자고!!

아무래도
지금의
당신과
겹치시겠지.
오래전부터 알던
사람이라는 것도
있겠고, 나이가
비슷하다는 점도
있을 테고.

소바

무슨
말인지
알아.
그럴 때
뭐라고
위로해야 할지
모르겠어…

정말
힘들었어~
감기
심했었지?

하지만 언젠가
우리도 느끼게 될
감정이겠지.

아, 들었어?
영업부
마카베가
후쿠오카로
전근 간대.

갈 때가 됐다고
생각은 했지만.
영업부니까.

거기에
3년은 있을 거고,
그때는 유부남이
되었을지도
모르지.

소바
나왔습니다~

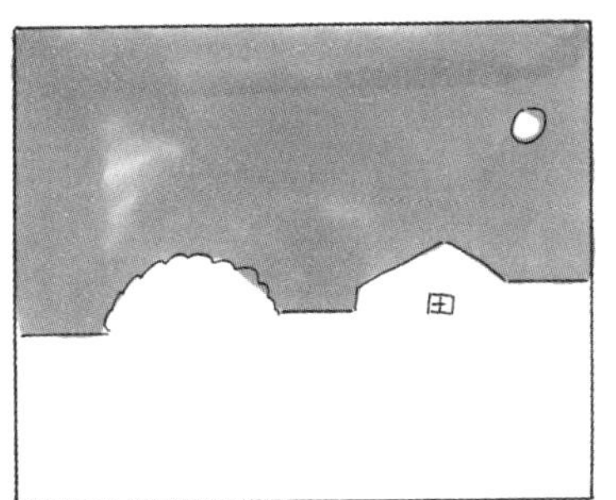

밤에는
역시
한기가
드네.
으~
추워

아,
아빠!

아빠,
어쩐
일이야?
아

그런
계절이지.
하하
맛있는
냄새~

편의점에
봉투 사러
간다.

따끈따끈한
군고구마를
손에 든
히토미 씨는

군고구마~
응?

이렇게
아빠 옆에서
걸을 수 있는 날이
앞으로 얼마나
남았을까

살까?
좋지
~~

하는 생각에,
문득
서글퍼져서

하 하
어머~
아빠가 군고구마 사줬어.

무슨 말인가 하려고 했지만

응? 마카베 전화네?

그저 군고구마 냄새만 맡고 있었습니다.

여보세요?

다녀왔습니다~

엄마! 잠깐 친구 좀 만나고 올게.
뭐? 이 시간에?

어머, 같이 왔네!

회사에
다시
들어가야
돼.
그래?
배 안 고파?

마카베!

감기 때문에
못 만나기도 했고,
나 내일부터
출장이라
또 못 볼 거
같아서.

○○ 역

이거,
슈크림이야.

미안,
이미 집에
들어갔었지?
역에서
만날 수
있을 줄
알고.

어머,
고마워.

아,
괜찮아
어디
들어갈래?
오코노미
가게 있어.

주말에는
되도록 올게.
후쿠오카에도
놀러 와.

전근 때문에
이래저래 바쁘겠네.
이사도 해야 하고.
응.

응,
가이드
해줘!!
당연하지.

여기서
집 계약하기
전이라
다행이다.
그러니까.

고마워.

히토미,
같이 안 갈래?
후쿠오카에.

갑자기
그건
힘들지.
아무래도
그렇겠지.
하하

10.
허무함은 어디서
오는 걸까

수고
했어~

우왕좌왕하는
사이

마카베는
후쿠오카로
가버렸다.

주말에 오면
만나기도 하고

포장마차,
맛있었
는데.
지난주에는
내가 후쿠오카로
가서 1박을
하고 왔다.

이벤트 느낌도
있어서

즐겁기는
하지만

스키야키
오랜만
이네~
그러게
말이다.

이런 음식은
가족이 모이지
않으면
좀 그렇지.

히토미가
어렸을 때도
일요일에
자주 먹었었지.

밖에서
스키야키 많이
먹어봤지만

관계가
영원히
이어질 것

같지가 않다.

잘 먹겠습니다.

그런 생각을 하면서
지금 먹고 있다고~
우물

정말
이니?
집에서
먹는 게 제일
맛있어~
하
하
하

고기가
너무
많은데??
근데

정말이야,
엄마.
우물

히토미,
고기 더 있으니까
많이 먹어.
응

언젠가,

정보
갱신을
안 하시네.
내가
젊었을 때
먹던 양 그대로
사 오는 엄마
…
하하

언젠가
이 스키야키를
먹을 수 없는
날이 온다고
생각하면
슬퍼…

10살까지는
아니어도

5살만
어렸다면

그런
생각
해봐야
아무
의미
없지만.

마카베와
사귄다는 걸
알면

모두
놀라겠지.
당연히
그렇
겠지.

이대로

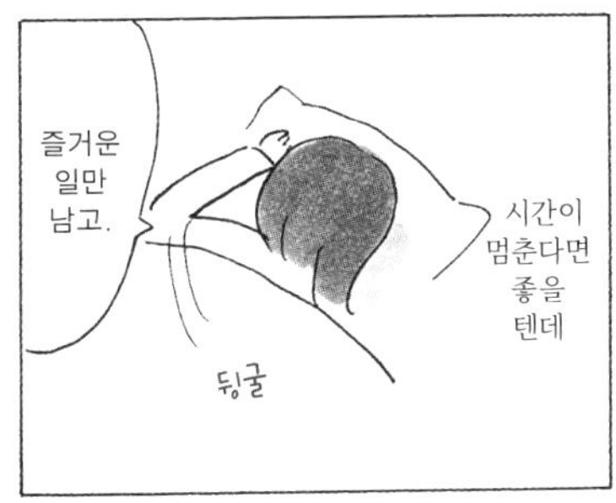
시간이
멈춘다면
좋을
텐데
즐거운
일만
남고.
뒹굴

곧
생일이지?

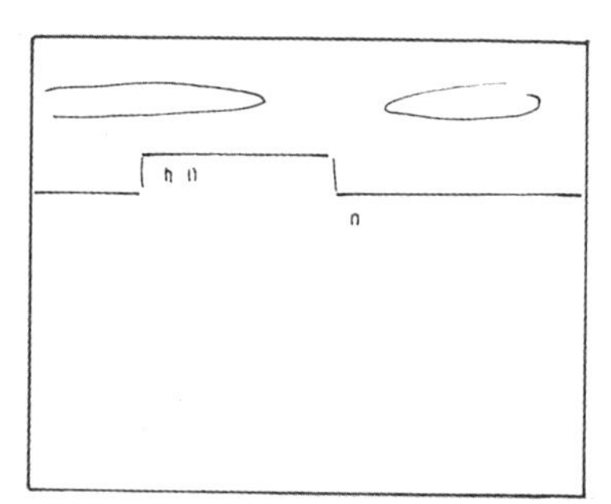

생일이
빨라서
그렇구나~
난
예전에
넘었지만.
아~~
마침내
마흔!

응.
점심
먹을까.

뭔가, 있지~
최근 들어
연예인들은
참 대단하다는
생각이 들어.

정신
차려!!
이제
2월
이거든.
아,
빨리
새해가
왔으면.

배우건
예능인이건
전부 말끔해
보이잖아.

응?

갱년기도
분명 있을
텐데.
모두
노력하는
거겠지.

타고난
외모라고
부러워했지만
노력하는
거였어.

최근에는
진짜 살이
안 빠져.
식사량은
예전보다
줄었는데도.

살이
안 빠진다고,
선배들이
입버릇처럼
말했잖아.

그때는 내가
젊었으니까
시큰둥하게
들었지.
나이가
그런데
어쩌라고,
하고
말이지.

어느
시대건
젊은 사람들은
모른다니까.

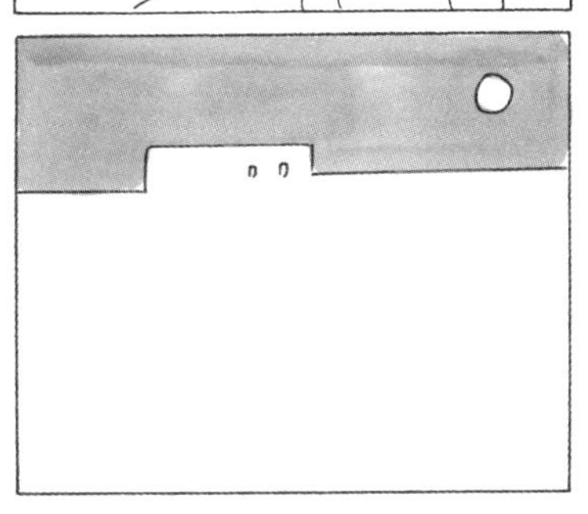

퇴근길의
히토미 씨입니다.

허무해.

갱년기…

이 허무함은
어디서
오는 걸까,
하고

언젠가
내게도
오겠지.

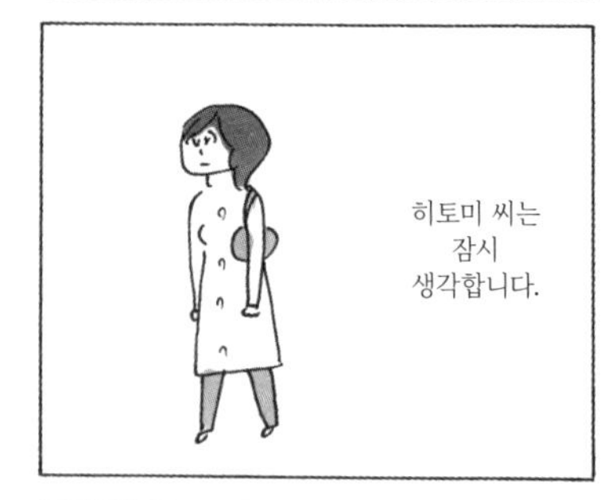
히토미 씨는
잠시
생각합니다.

불안해~
사람에 따라
증상도
다르다는데

아니,
어디서부터도
아니야,

생명체는
어쩔 수 없이
늙는구나.

내면에서
오는 거야.

죽음의 존재를
알고 있는
인간인 이상

자신의
내면에서 오는
'허무함'과
마주할 수밖에
없다는,

그런 생각을
하면서도
새로운 케이크 가게에
설레는 히토미 씨
였습니다.

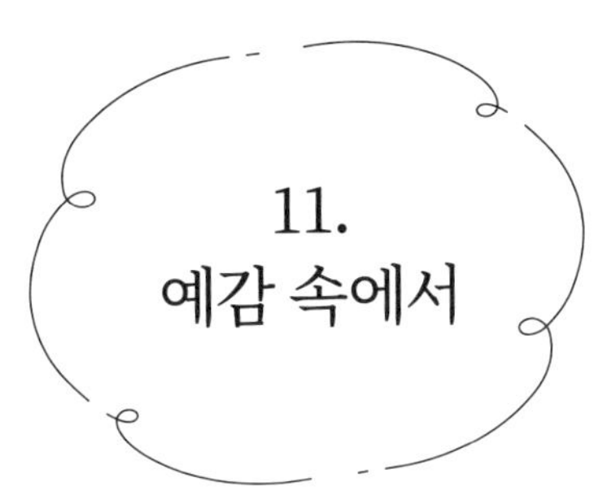

11. 예감 속에서

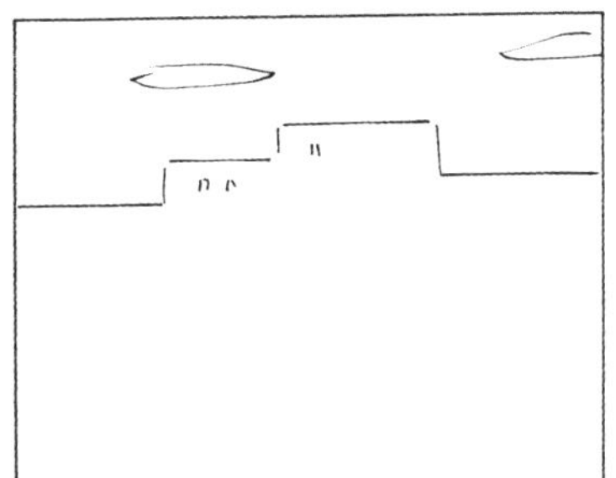

봄이
왔습니다.

어떤
의미에서는
여느 때와
다르지 않은
봄입니다.

느낌으로
볼 때

이거
네
마카베는
후쿠오카의
또래 동료들과

후우
사랑의 종말이
다가온 듯하지만

고마워요
풋볼을
시작했으며

슬프지 않다,

이래저래 두 달 동안
도쿄에 오지 않았고

라고 하면
거짓말이다.

황금연휴에도
오지 못할 듯하다.

자서전에
쓸 수 없는
감정도
있다…
사실이 더 쓸쓸한
봄이었다.

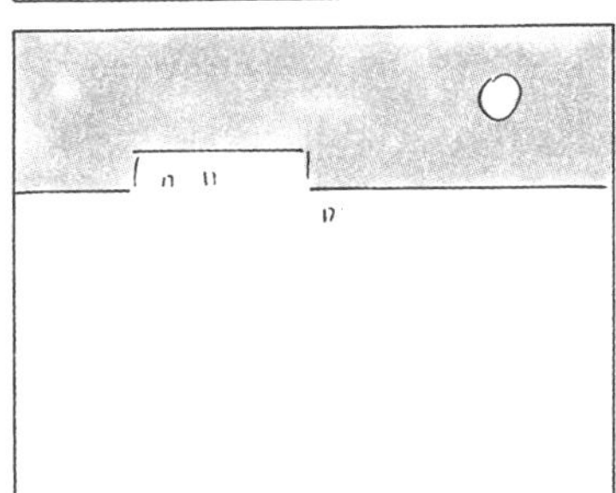

건배.

이거,
홋카이도
기념선물~
와아~
어때?

밤의
도쿄타워에
올라갔던
작년
크리스마스를
떠올리면

더욱
슬퍼지지만

그러한 '예감' 속에서
진행되던
사랑이었는지도
모른다,

라고 생각할 수
있을 만큼
나이가 들었다는

하네다 공항에
도착하면 왜,
수하물 기다리잖아.
응

와아!
건포도
샌드위치
너무 좋아~
나도~

그때 내 짐이
나올 때까지
계속 좀
불안하지
않아?
하
하

우리 부모님,
두 분 다 홋카이도
처음이셔서
엄청 들뜨셨어.
귀여우셔~

맞아!

주변 사람들에게 줄
선물이라면서
이것저것 많이도
사셨고.
하하

아직인가?
아직인가?
못 보고 지나갔나?
혹시 다른 사람이
잘못 가져갔나?

좋은
효도 여행
이었네.
그러게

그런 생각을
하면서 기다리다
보면

내 운명의
남자도 못 보고
지나쳤거나,
다른 여자에게
빼앗긴 건
아닐까…

하고 우울해져.
아니, 어쩌면
아직 싣지
못했을지도?

그 남자,
기다리면
나타날 거라고
생각해?
그렇게
생각하고
싶어.
하하

목욕
했더니
개운해
~
그런데

오카는
어떻게
지낼까.

마카베와
사귀게 되면서
오카는 페이드아웃된
느낌이었지만

아,
이 자세
허리가
아프네.

오랜만에.
문자
해볼까.

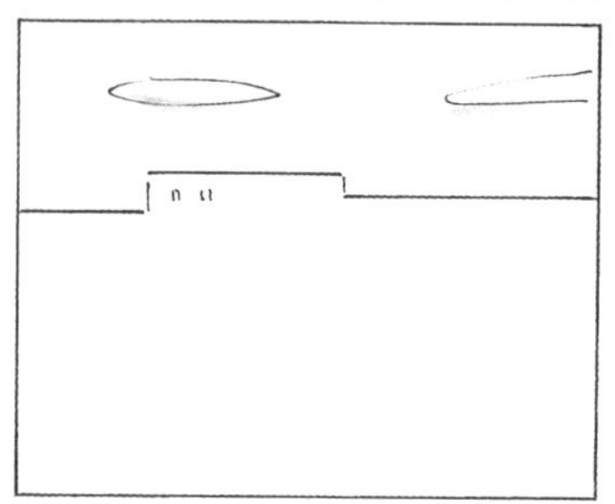

뒹굴
이건 아니야.
마카베랑
끝날 것 같으니까
바로
연락한다니!!

네?
사와
무라
씨

아니,
뭐 딱히
오카와는
아무 일도
없었잖아.

4월에 시작되는
스케줄 수첩
남았는데
필요해?

그냥
동기니까
연락 정도는
해도 되지
않나?

아, 주세요.
고맙습니다!

누가?
상사가
주겠다는 건
일단 받는 게
좋다지.

휘리릭
나도
이미 갖고 있으니까
메모지 대신으로
쓸까.

스케줄 수첩?

부장님이
주셨는데,
필요해?
오~
이것저것
적을 수 있네.
가져도 되니?

목욕
했더니
개운
하다~
히토미,
이거
좋은데?
편리해.

스케줄 수첩에
기뻐하는 엄마.

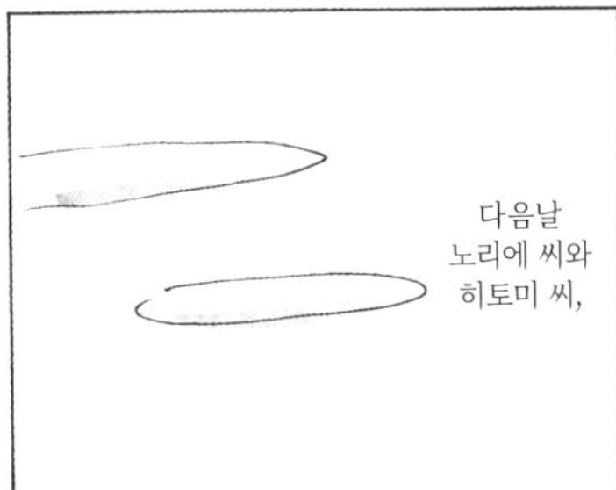
다음날
노리에 씨와
히토미 씨,

히토미 씨는
조금
반성했습니다.

오늘은
둘이
쇼핑을
합니다.

엄마에게는
일정 같은 거
별로 없을 거라고
멋대로 생각했던
자신을.

엄마,
점심은 좀
색다른 거 먹자.

엄마,
앞으로 매년
선물해줄게.
진짜?
고맙다~

색다른 거
뭐?
음~
태국 요리
같은 건
어때?

엄마
안 먹어
봤어.
맛있어,
도전해봐,
도전.

태국 요리

그지?
가끔은
좋잖아!!
매운 것도
있지만 의외로
부담 없네.
맞지?
냠

그지,
그지?
응,
맛있는데?

엄마 친구들한테도
알려드려.

이런 곳에
갔었다고 하면
깜짝 놀라시겠지?
후후
그래야
겠다.

분명
그럴 거야!!
그럴지도.

응,
친구랑
차 한잔
마실
거야.
너무
늦지
말고.

카페

히토미.

갑자기
불러서 미안.
오랜만~

딸이랑
이런 곳에도 가봤어.

라는 엄마의
자랑을 통해

계속 부모랑 사는
딸도 그리 나쁘지
않다고

다음에는
베트남 요리
먹을까?
에둘러 세상에
전하고 싶은,
조금 복잡한
히토미 씨였습니다.

오카가 너한테
실연당했다고
연락해서.

뭐?

응,
알아.
실연은 무슨!
그냥 밥 먹은 게
단데!

오카랑?

네가 전혀
상대 안 해준다고
해서

연말…
즈음부터였나.
정말? 정말?
언제부터?

상담해주다가,
뭐, 어찌
그렇게 됐어.

그게, 처음에는
그럴 생각이
전혀 없었어!

원하는 게
있는 건
아니야.

하지만 딱히
이혼하겠다거나
하는 건 전혀
아니야.

그저
사랑 비슷한
감정이
그리웠던 것
같아.
아마도.

오카도
원하지 않고.

만나러
가기 전의

아니
사실은

그
두근거림
이라든가

그러니까
만날 수 있었던,
뭐 그런 느낌?

무슨
말인지 알아.

그냥
연애 비슷한
느낌으로
충분한 거야.

고마워.
얘기하고 나니
편하다.

왜냐면

아, 원래
오카와의 일을
너한테 얘기할 생각은
없었어.

우린
이미
아줌마고

'오카는 어떻게
지내?'라고
문자가 왔길래
솔직하게
얘기해야겠다고
생각했어.

아, 미안.
갑자기
분위기가
어두워졌다.
하
하

어?

그래, 그랬구나.
나도 여러 가지로
바빠서 두 사람한테
연락도 못 하고
해서.

그런 자리는
불편하잖아,
보통.

어떻게 지내나~
궁금했을
뿐이야.
이렇게
되어버렸
습니다.
하
하
하

아,
그러네.
미안.

있지
다음에
또 셋이서
밥 먹자.

싫어.

12. 마리골드

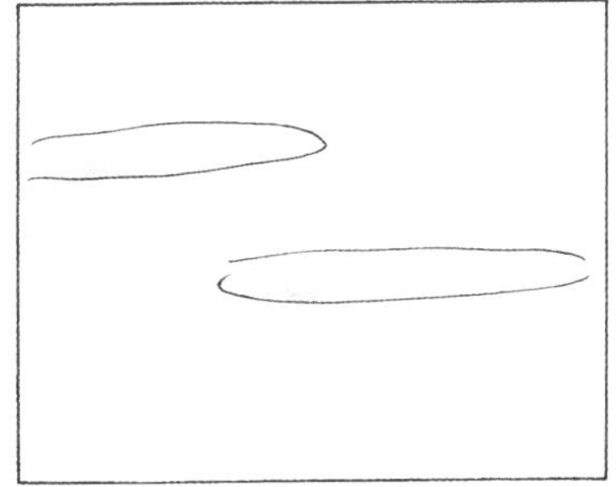

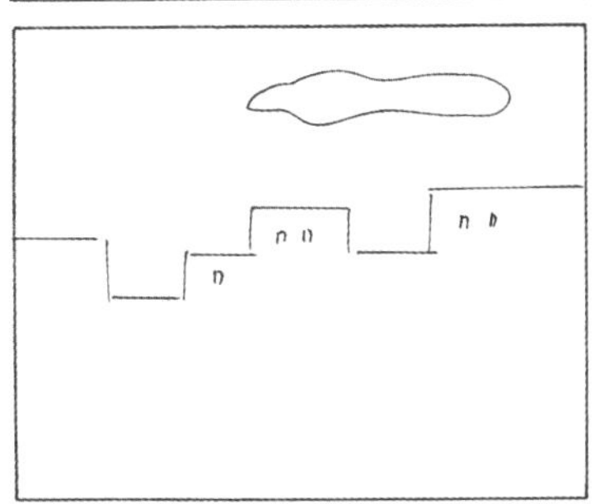

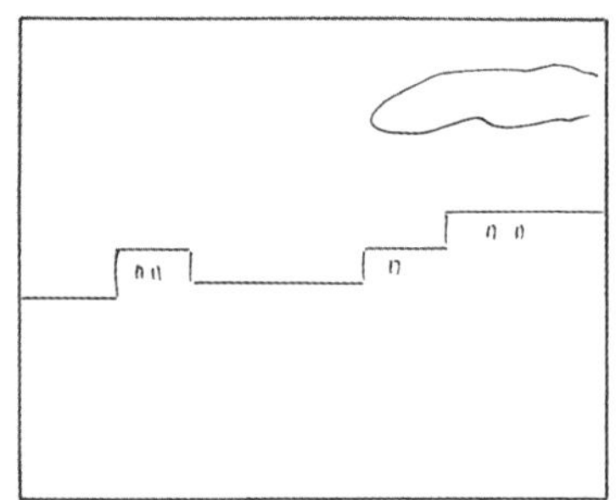

어느덧 여름이네~ 세월 빨라~
하아~
바로 얼마 전에 벚꽃 피지 않았어?

옛날에는 해마다 수영복을 새로 샀었잖아.
근데 지금 있는 거, 몇 년 전에 샀는지도 모르겠어…

아, 그러고 보니 엉겁결에 선글라스 질러버렸습니다!
앗, 나도 갖고 싶어~

근데 왠지 부끄러워서 못 쓰겠어.
하하

모델처럼 써보고 싶었는데!
알아~ 어른이 되면 꼭 쓰겠다고 다짐했는데.
하하

그냥 자연스럽게 쓰면 될 텐데, 왠지 그렇지…

뭔가, 상상했던 어른이 못 된 건가.
새빨간 립스틱은 얼굴이 안 받쳐 주고.

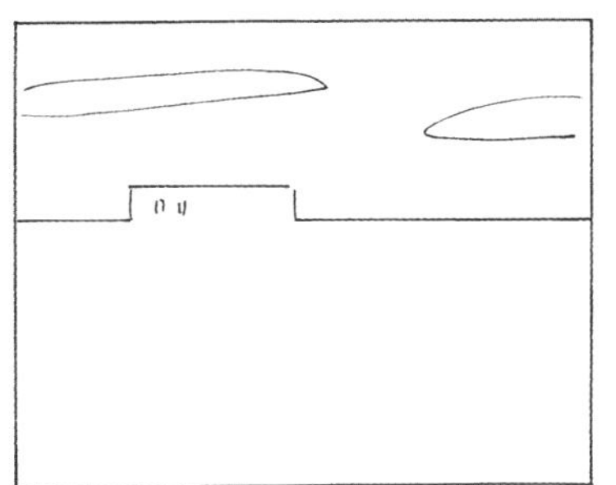

어린아이인
내가 타임머신을
타고 왔다면
실망하겠는걸.

여름,

'뭐야~
시시한 어른
이잖아~'
하고.

최대한
석양을 피하기 위해

응?
그런 말
안 할
거야.

사와무라 씨,
날마다 멀어지고
있어.
창가에서
떨어져 앉는
사와무라 히토미
씨입니다.

고마워.
넌, 그런
어린애가
아니었을
거야.

근황 하나,
아이폰 버전을
업그레이드했다.
최신
버전
이라고.
근황 둘,
처음으로
얼굴 기미에
레이저 치료를
받았다.
또 예약
해야지.
근황 셋,
마카베와는
끝났다.

*가마쿠라 시대(1185~1333)의 가인(歌人) 가모노 초메이의 수필집. 일본 3대 수필 중 하나로 꼽힌다.

내 사랑
같아.
하
하

작년에 심었던
마리골드,
올해는 안 펴?

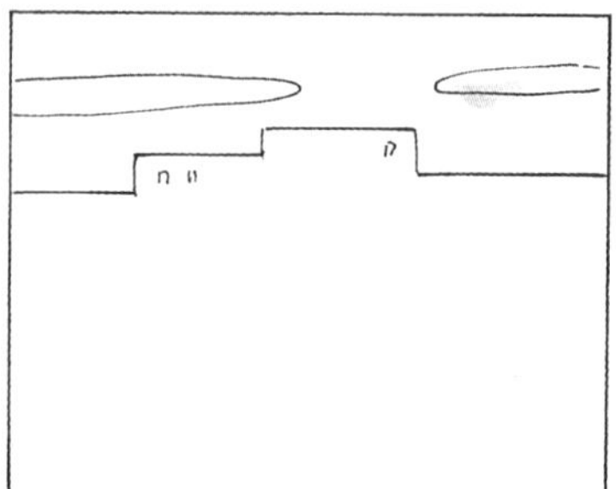

일년초니까.
올봄에는
안 심었어.

안녕
하세요.
그래~

문
잘 닫고
들어와.
응.

오늘은
오전 중에
자료
만들고~
점심
부터는
집계하고~

일년초
구나~

네. 어제부터요.
오늘 후쿠오카로
돌아가요.
그럼~
네

아니지,
그쪽 자료를
먼저.
음
음

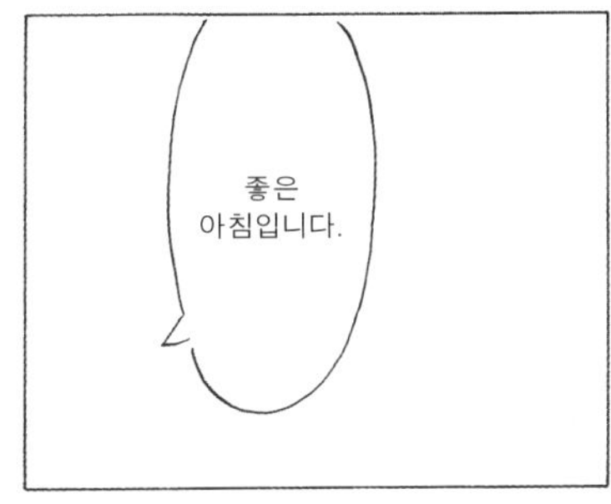
좋은
아침입니다.

아,
마카베 씨.
좋은 아침!
바빠
보이세요.

도쿄 출장
이었지?
고생 많았어.

‘언젠가 결혼하는
마카베를 보는
형벌’에

이런 식으로

처해질 것입니다.

앞으로도
이렇게
서로 얼굴을
마주할 것이고

그것
조차도

그리 멀지 않은
미래에 마카베의
연애 소문을
듣게 되겠죠.

뭔가
약간의
이벤트
라고
생각하는
나도 있다.

그리고 나는

확실히
말 거는 사람도
없긴 해.

하하
40대란
엄청나구나~

미팅이
성사된다고 해도
30대 남자는
포함 안 되겠지.

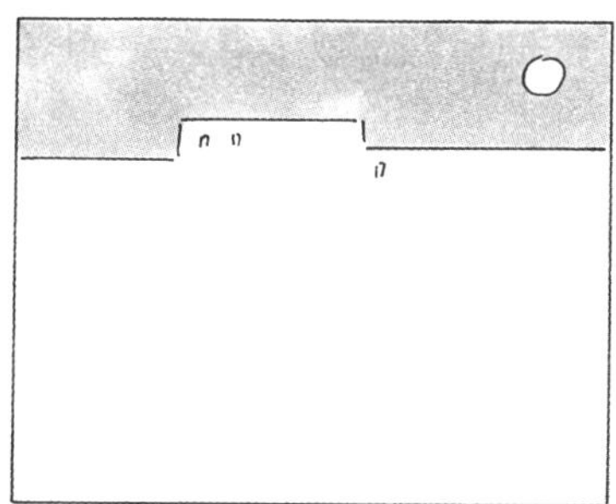

우리도
포함해서
말이지.
참가자는
전부 중년들.
하
하
하

건배

뭔 소리?
그건
미팅이라기보다
집회 아냐?

첫 마디가
그거냐…
아~~
미팅하고 싶엇!
쪼옴~

아, 정말 그래.
생각이 안 나.
'사람 이름이
생각이 안 나~'거나?

아니,

저도요~
맞아,
나도!!
하
하

하지 마~
이미
'소모임'이야.

이런 식으로
의기투합해서 분위기가
무르익지 않겠어?

모여서
무슨 이야기를
할까?

……
사랑이 이런
느낌이었나?

'금방
피곤해진다'
거나
그야 당연히
'최근에 흰머리가
듬성듬성'이거나

사랑의
한복판에
있을 때엔

그래도

숨 쉬는
공기조차
여느 때와는
다른 듯한.

또 사랑을
하고 싶어,
라고

사랑은
정말로
특별해.
알지…

생각할 수
있는 건 좋은 거
아닐까.

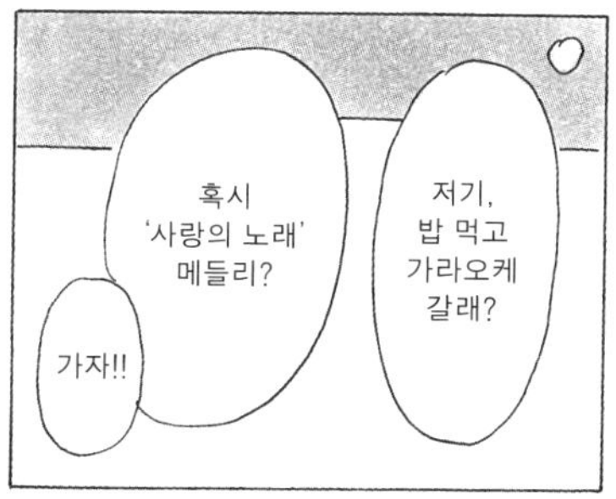
저기,
밥 먹고
가라오케
갈래?
혹시
'사랑의 노래'
메들리?
가자!!

지레 겁을 먹어서
실패한 사랑도
있겠지만

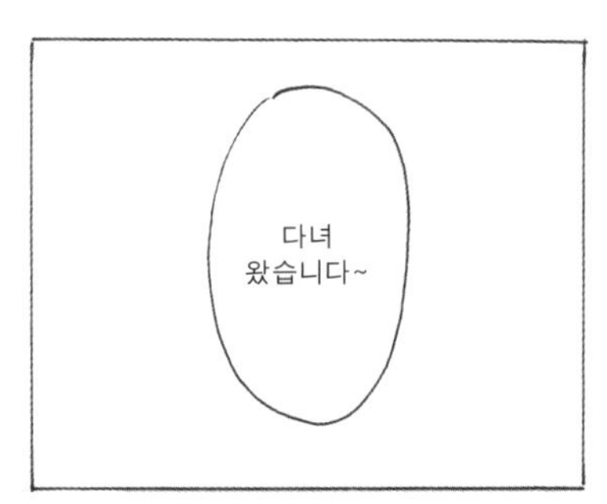
다녀
왔습니다~

뭐야, 엄마.
실뜨기해?

실이 있길래
잠깐.

의외로
기억이 나네.

빗자루
만들어 줘.
빗자루라…

자,
완성!!

와아,
대단한데?
다른 건?

엄마의 손에 생긴
기미,

이건 간단해.
'다리.'
자~

매니큐어를 바른
자신의 손톱

둘이 해볼까?
아,
생각나~

세월이 흘러도
두 사람의 손가락은
기억하고 있는
듯합니다.

엄마랑
둘이서 하는
실뜨기

아, 엄마.
나 '도쿄타워'
만들 수 있어.

아, 됐다
히토미 씨,
30년만인가요?

창문을 열고
점심시간이
다 되도록 깊은 잠에
빠져 있는 히토미 씨
어제는 늘 만나는
멤버와 맛있는
스페인 요리
덥지도 않고
그리고
노래방을 갔었죠.
춥지도 않은
응?
어느 가을의
토요일

창문을 열고
어렸을 때부터
보아온 주택가를
바라보다가
히토미 씨는
문득
이런 생각을
했습니다.

만약 내가
만화의
주인공이고

후우~
토요일이다.

잠깐
그루잠.

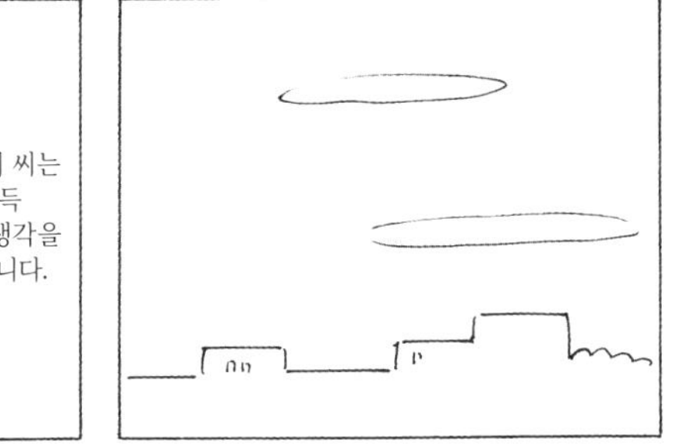

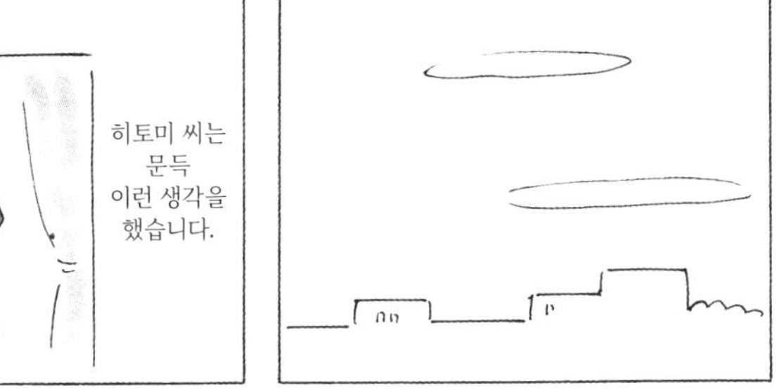

잘
잤다~

라고 히토미 씨는
마음속 깊이
느꼈으며,
오늘 하루는
미래 따위
생각하지 말고

편안하게
지내자.

영원히
이 상태로
있게 된다면
지금의 나는

굉장히 행복하다

아빠는 도서관?
금방 오실 거야.

하고 결심했습니다.

있지, 엄마.

점심, 초밥 시켜 먹자!!

좋은 아침.

내가 쏠게.
럭키♡

조금 있으면 점심이다만~

*이 책은 새로운 작품에 『사와무라 씨 댁의 이런 하루』
『사와무라 씨 댁은 이제 개를 키우지 않는다』
『사와무라 씨 댁, 오랜만에 여행을 가다』
『사와무라 씨 댁에 밥이 슬슬 익어갑니다』
『사와무라 씨 댁의 행복한 수다』를
부분적으로 발췌하여 재편집한 것입니다.

*참고도서
『브람스를 좋아하세요…』, 프랑수아즈 사강
『방장기』, 가모노 초메이

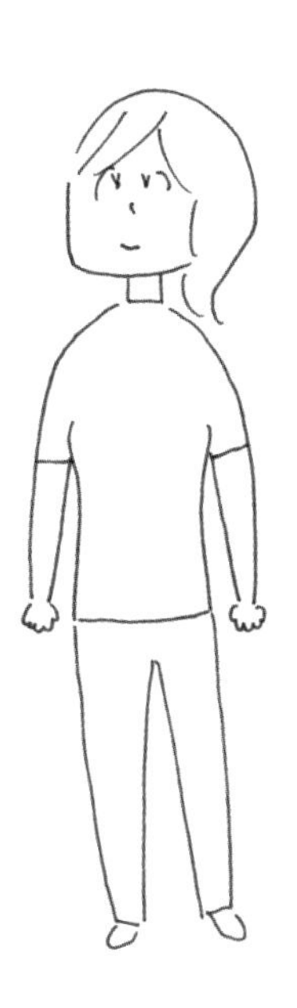

에필로그

주인공 사와무라 히토미(40세)는 〈주간문춘〉에 연재 중인 〈사와무라 씨 댁의 이런 하루〉의 등장인물 중 한 명이기도 합니다. 〈사와무라 씨 댁의 이런 하루〉는 사와무라 씨 댁 아버지, 어머니, 딸 히토미의 소소한 에피소드를 그린 단편 연작 만화입니다.

'에피소드 사이사이에 그들만의 생활이 있다.'
이 생각을 늘 염두에 두고 책상과 마주합니다. 즉, 이 작품은 〈사와무라 씨 댁의 이런 하루〉 각 단편의 앞뒤에 존재하는 이야기라고 할 수 있습니다.
연재는 2022년 6월에 500회를 맞이했습니다. 그중에서 발췌하고 또 새롭게 그려둔을 합친 작품입니다.

사랑.
어른의 사랑도 우왕좌왕합니다. 풍요롭고 때로는 아픕니다. 하지만 다른 그 무엇과도 대체할 수 없는 신기한 현상이에요. '히토미 씨의 사랑'을 그리는 동안, 짙은 슬픔 속에 있었던 듯한 기분이 듭니다.

2023년 여름 마스다 미리

마스다 미리 益田ミリ

1969년 오사카 출생의 일러스트레이터이며 에세이스트.
마스다 미리는 평범한 사람들의 '오늘'을 소중하게 여기며, 그들의 이야기를 정중하고 담백하게 묘사한다. 대표작으로 30대 싱글 여성의 일상을 다룬 만화 〈수짱 시리즈〉가 있으며, 최근작으로는『누구나의 일생』이 있다.
이 작품은 〈주간문춘〉에 연재중인 〈사와무라 씨 댁 시리즈〉의 최신작으로, 2022년 6월 500회를 맞이해 만든 특별판이다. 〈사와무라 씨 댁 시리즈〉는 단편 연작 구성이 특징이나, 이번 작품에서는 사와무라 씨 댁 가족 구성원 중 딸 '히토미'를 주인공으로 하여 어른의 사랑이라는 하나의 이야기를 그렸다.

옮긴이 박정임

경희대학교 철학과를 졸업하고 일본 지바대학원에서 일본근대문학 석사과정을 수료했다. 전문번역가로 일하면서 능내에서 작은 책방을 운영한다.
옮긴 책으로 마스다 미리의 〈수짱 시리즈〉와『미우라 씨의 친구』등을 비롯해 〈미야자와 겐지 전집〉『어쩌다 보니 50살이네요』『고독한 미식가』『피아노 치는 할머니가 될래』등이 있다.

행복은 누구나 가질 수 있다
2024년 12월 16일 1판 1쇄 펴냄

지은이: 마스다 미리
옮긴이: 박정임
기획 편집: 고미영
디자인: Praktik
마케팅: 박진우, 전은재
제작: 북작소
제작처: 영신사

ISBN 979-11-990237-2-7 03830
979-11-990237-0-3 (세트)

펴낸이 고미영
(주)새의노래. 10908 경기도 파주시 경의로 1114, 405호
출판등록 제2023-000009호
전화 02 393 2111 팩스 02 6020 9539
info@birdsongbook.com www.birdsongbook.com
Instagram: birdsongbook